ESTUDIO BÍBLICO

Pentateuco

GÉNESIS, ÉXODO, LEVÍTICO, NÚMEROS Y DEUTERONOMIO

P. WILLIAM A. ANDERSON, DMIN, PHD
Y P. RAFAEL RAMÍREZ, SSD

LIBROS
LIGUORI

Imprimi Potest:
Stephen T. Rehrauer, CSsR, Provincial
Provincia de Denver, los Redentoristas

Impreso con Permiso Eclesiástico y aprobado para uso educativo privado.

Imprimatur: "Conforme al C.827, el Reverendísimo Edward M. Rice, obispo auxiliar de St. Louis, concedió el Imprimátur para la publicación de este libro el 5 de febrero de 2015. El Imprimátur es un permiso para la publicación que indica que la obra no contiene contradicciones con las enseñanzas de la Iglesia Católica, sin embargo no implica aprobación de las opiniones que se expresan en la obra. Con este permiso no se asume ninguna responsabilidad".

Publicado por Libros Liguori, Liguori, Missouri 63057
Pedidos al 800-325-9521 o visite liguori.org

Library of Congress Cataloging-in-Publication Data on file

p ISBN 978-0-7648-2511-8

e ISBN 978-0-7648-6956-3

Los textos de la Escritura que aparecen en este libro han sido tomados de la *Biblia de Jerusalén* versión latinoamericana © 2007, Editorial Desclée de Brower. Usada con permiso. Todos los derechos reservados.

Libros Liguori, una organización sin fines de lucro, es un apostolado de los Padres y Hermanos Redentoristas. Para más información, visite Redemptorists.com

Impreso en los Estados Unidos de América
19 18 17 16 15 / 5 4 3 2 1
Primera edición

Índice

DEDICATORIA

La serie de libros que componen la colección del Estudio Bíblico de Libros Liguori está dedicada entrañablemente a la memoria de mis padres, Kathleen y Angor Anderson, en agradecimiento por todo lo que compartieron con quienes los conocieron, especialmente con mis hermanos y conmigo.

WILLIAM A. ANDERSON

Dedico esta obrita al recuerdo de mis padres, Rafael y Carmen, quienes, los primeros, instilaron en mí el amor por la Palabra de Dios y me animaron siempre a seguir su voluntad.

RAFAEL M. RAMÍREZ

AGRADECIMIENTO

Los estudios bíblicos y las reflexiones que contiene este libro son fruto de la ayuda de muchos que leyeron el primer borrador e hicieron sugerencias. Estoy especialmente en deuda con la Hermana Anne Francis Bartus, CSJ, D Min, cuya vasta experiencia y conocimiento fueron muy útiles para llevar a esta colección a su forma final.

WILLIAM A. ANDERSON

Agradezco también a mis estudiantes de la Escuela Bíblica Católica de la Universidad de Dallas, quienes con su interés, preguntas y entusiasmo en el estudio de la Escritura y el servicio de la comunidad me han animado a llevarla a término. En particular, agradezco a Elena Morales Ayuso y Eduardo López Gil su ayuda en la lectura y revisión del manuscrito.

RAFAEL M. RAMÍREZ

Introducción al
Estudio Bíblico de Libros Liguori

LEER LA BIBLIA puede intimidar a algunos. Es un libro complejo y muchas personas de buena voluntad que han tratado de leer la Biblia, terminaron dejándola desalentados. Por ello, ayuda tener un compañero de viaje y el Estudio Bíblico de Libros Liguori es uno confiable. En los diversos libros de esta colección, vas a aprender sobre el contenido de la Biblia, sobre sus temas, personajes y acontecimientos, y aprenderás también cómo los libros de la Biblia surgieron por la necesidad responder ante nuevas situaciones.

A lo largo de los siglos, los creyentes se han preguntado: ¿dónde está Dios en este momento? Millones de católicos se vuelven a la Biblia en busca de aliento. La prudencia nos aconseja no emprender un estudio de la Biblia por nosotros mismos, desconectados de la Iglesia que recibió la Escritura para compartirla y custodiarla. Cuando se utiliza como una fuente para la oración y atenta reflexión, la Biblia cobra vida. Tu decisión de adoptar un programa para el estudio de la Biblia debe estar dictada por lo que esperas encontrar en él. Uno de los objetivos del Estudio Bíblico de Libros Liguori es dar a los lectores una mayor familiaridad con la estructura de la Biblia, con sus temas, personajes y mensaje. Pero eso no es suficiente. Este programa también te enseñará a usar la Escritura en tu oración. El mensaje de Dios es tan importante y tan urgente en nuestros días como entonces, pero solo nos beneficiaremos de él si lo memorizamos y conservamos en nuestras mentes. Está dirigido a toda la persona en sus esferas física, emocional y espiritual.

Nuestro Bautismo nos introduce a la vida en Cristo y estamos hoy llamados a vivir más unidos a Cristo en la medida en que practicamos los valores de la justicia, la paz, el perdón y la vida en la comunidad. La nueva alianza de Dios fue escrita en los corazones del pueblo de Israel; nosotros, sus descendientes espirituales, somos amados por Dios de una forma igualmente íntima. El Estudio Bíblico de Libros Liguori te acercará más a Dios, a cuya imagen y semejanza fuiste creado.

Estudio en grupo e individual

La colección de libros del Estudio Bíblico de Libros Liguori está orientada al estudio y la oración en grupo o de forma individual. Esta colección te da las herramientas necesarias para comenzar un grupo de estudio. Reunir a dos o tres personas en una casa o avisar de la reunión del grupo de estudio de la Biblia en una parroquia o comunidad puede dar resultados sorprendentes. Cada lección del Estudio Bíblico contiene una sección para ayudar a los grupos a estudiar, reflexionar y orar, y compartir con otros sus reflexiones bíblicas. Cada lección contiene también una segunda sección para el estudio individual.

Mucha gente que quiere aprender más sobre la Biblia no sabe por dónde empezar. Esta colección les da un punto de partida y les ayuda a seguir adelante hasta que se familiaricen con todos sus libros.

El estudio de la Biblia puede ser un proyecto tan largo como la vida misma, que enriquece siempre a todos los que quieren ser fieles a la Palabra de Dios. Cuando la gente completa un estudio de toda la Biblia, puede empezar otra vez, haciendo nuevos descubrimientos cada vez que se adentra de nuevo en la Palabra de Dios.

Lectio divina (Lectura sagrada)

EL ESTUDIO BÍBLICO no consiste únicamente en adquirir conocimientos intelectuales de la Biblia; también tiene que ver con adquirir una mayor comprensión del amor de Dios y una mayor preocupación por la Creación. El fin de leer y conocer la Biblia es fortalecer nuestra relación con Dios. Dios nos ama y nos dio la Biblia para enseñarnos ese amor. Como el Papa Benedicto XVI nos recuerda, un estudio de la Biblia no es una empresa exclusivamente intelectual, sino también una aventura espiritual que debería influir en nuestra relación con Dios y con nuestros hermanos.

El significado de *Lectio divina*

Lectio divina es una expresión latina que significa "lectura sagrada o divina". El proceso para la *Lectio divina* consiste en leer la Escritura, reflexionar y orar. Muchos clérigos, religiosos y laicos usan la Lectio divina en su lectura espiritual todos los días para desarrollar una relación más cercana y amorosa con Dios. Aprender sobre la Sagrada Escritura tiene como finalidad llevar a la vida personal su mensaje, lo cual requiere un periodo de reflexión sobre ella.

Oración y *Lectio divina*

La oración es un elemento necesario para la práctica de la *Lectio divina*. Todo el proceso de lectura y reflexión es en el fondo una oración, no es un esfuerzo puramente intelectual; es también espiritual. En la página 17 se ofrece una oración introductoria para reunir los propios pensamientos antes de abordar los diversos pasajes de cada sección. Esta oración se puede decir en privado o en grupo. Para los que usan el libro en su lectura espiritual de todos los días, la oración para cada apartado puede repetirse todos los días. También puede ser de utilidad llevar un diario de las meditaciones diarias.

Ponderar la Palabra de Dios

La *Lectio divina* es la antigua práctica espiritual de los cristianos de leer la Sagrada Escritura con una intencionalidad y con devoción. Esta práctica les ayuda a centrarse y bajar a su corazón para entrar en un espacio íntimo y silencioso donde puedan encontrar a Dios.

Esta lectura sagrada es distinta de la lectura para adquirir conocimientos o información, y es más que la práctica piadosa de la lectura espiritual. Es la práctica de abrirnos a la acción e inspiración del Espíritu Santo. Mientras nos concentramos de forma consciente y nos hacemos presentes al significado íntimo del pasaje de la Escritura, el Espíritu Santo ilumina nuestras mentes y corazones. Llegamos al texto queriendo ser transformados por un significado más profundo que se encuentra en las palabras y pensamientos que estamos ponderando.

En este espacio nos abrimos a los retos y a la posibilidad de ser cambiados por el significado íntimo de la Escritura. Nos acercamos al texto con espíritu de fe y con obediencia, como un discípulo deseoso de ser instruido por el Espíritu Santo. A medida que saboreamos el texto sagrado, abandonamos la actitud controladora de quien quiere decir a Dios cómo debe actuar en nuestras vidas y rendimos nuestro corazón y nuestra conciencia a la acción de lo divino (*divina*) a través de la lectura (*Lectio*).

El principio fundamental de la *Lectio divina* nos lleva a entender mejor el profundo misterio de la encarnación, "La Palabra se hizo carne", no solo en la historia, sino también en nosotros mismos.

Rezar la *Lectio* en nuestros días

Relaja tu cuerpo y mantén una postura de oración (sentado con la espalda recta, ojos cerrados, ambos pies en el piso). Ahora sigue estos cuatro sencillos pasos:

1. Lee un pasaje de la Escritura o las lecturas de la Misa del día. Esta parte se llama *Lectio* (si la Palabra de Dios se lee en voz alta, quienes escuchan deben hacerlo atentamente).
2. Ora usando el pasaje de la Escritura elegido mientras buscas un significado específico para ti. Una vez más, la lectura se escucha y se lee en silencio para ser reflexionada o meditada. Esto se conoce como *meditatio*.

3. El ejercicio ahora se vuelve activo. Toma una palabra, frase o idea que aflore al estar considerando el texto elegido. ¿Esa lectura te recuerda a alguna persona, lugar o experiencia? Si es así, haz oración pensando en ello. Concentra tus pensamientos y reflexiones en una sola palabra o frase. Este "pensamiento-oración" te ayudará a evitar las distracciones durante la *Lectio*. Este ejercicio se llama *oratio*.

4. En silencio, con tus ojos cerrados, tranquilízate y hazte consciente de tu respiración. Deja que tus pensamientos, sentimientos y preocupaciones se desvanezcan mientras consideras el pasaje seleccionado en el paso anterior (la *oratio*). Si estás distraído, usa tu "pensamiento-oración" para volver al silencio y quietud. Esta es la *contemplatio*.

Puedes dedicar a este ejercicio tanto tiempo como desees, pero en el contexto de este Estudio Bíblico, de 10 a 20 minutos deberían ser suficientes.

Muchos maestros de oración llaman a la contemplación "orar descansado en Dios" y la ven como el preámbulo del perderse a sí mismo en la presencia de Dios. La Escritura se convierte en nuestra oyente mientras oramos y permitimos a nuestros corazones unirse íntimamente con el Señor. La Palabra realmente se hace carne, pero en esta ocasión se manifiesta en nuestra propia carne.

Cómo utilizar
el Estudio Bíblico

Los comentarios y reflexiones que aparecen en este estudio, ayudarán a los participantes a familiarizarse con los textos de la Escritura y los llevará a reflexionar con mayor profundidad en el mensaje de los mismos. Al final de este estudio los participantes contarán con un sólido conocimiento de los libros del Pentateuco y se darán cuenta de cómo estos les ofrecen un alimento espiritual. El estudio no es solo una aventura intelectual, sino también espiritual. Las reflexiones guían a los participantes en su propio caminar por las Escrituras.

> **Nota: Los textos de la Escritura de este libro y de todo el Estudio Bíblico están tomados de la edición en línea de *Biblia de Jerusalén*, versión latinoamericana © 2007, Editorial Desclée de Brower. Usada con permiso.**

Visión general del libro

Este libro se divide en quince capítulos y ofrece una visión global y comprensiva de los libros del Pentateuco. Cada lección tiene un título y se divide en dos partes. Por ejemplo, el título de la segunda lección es "De Caín a Abrán". La primera parte de la lección se dedica a Génesis 4-8 y la segunda a Génesis 9-12. El estudio en grupo incluye varios ejercicios de *Lectio divina*, que los mismos participantes pueden elegir, de acuerdo con sus necesidades e intereses.

Si el grupo decide hacer la Lectio divina, se deben de reunir por una hora y media y utilizar el formato proporcionado en la página 9. Se pueden reunir también por espacio de una hora, si el grupo decide no hacer *Lectio divina* comunitaria pueden utilizar el formato proporcionado en la página 17. Si deciden no hacer *Lectio divina* comunitaria se le recomienda a cada participante hacer el ejercicio en privado. Al final de la parte 2 de cada lección se proporciona una guía para hacer la *Lectio divina* de manera individual.

Deseamos que el mensaje del Pentateuco, contenido en los libros del Génesis, Éxodo, Levítico, Número y Deuteronomio te ayude a vivir tu fe cada vez con más entusiasmo. Que las palabras de los primeros libros de la Escritura sean un verdadero motor para tu crecimiento espiritual y para conocer cada vez más al Dios de Israel.

UN MÉTODO PARA LA *LECTIO DIVINA*

Libros Liguori ha diseñado este estudio para que sea fácil de usar y aprovechar. De cualquier forma, las dinámicas de grupo y los líderes pueden variar. No tratamos de controlar la labor del Espíritu Santo en ustedes, por eso les sugerimos que decidan de antemano qué metodología funciona mejor para su grupo. Si están limitados de tiempo, pueden hacer el estudio en grupo y hacer la oración y la reflexión después, individualmente.

De cualquier forma, si tu grupo desea ahondar en la Sagrada Escritura y celebrarla a través de la oración y el estudio, les recomendamos dedicar alrededor de noventa minutos cada semana para reunirse, de forma que puedan estudiar y orar con la Escritura. La *Lectio divina* (ve la página 9) es una antigua forma de oración contemplativa que lleva a los lectores a encontrarse con el Señor usando el corazón y no solo la cabeza. Recomendamos vivamente usar este tipo de oración tanto en el estudio individual como en el de grupo.

METODOLOGÍAS PARA EL ESTUDIO EN GRUPO

1. Estudio bíblico con *Lectio divina*

Alrededor de noventa minutos
- ✠ Reunirse y recitar la oración introductoria (3 -5 minutos).
- ✠ Leer el pasaje de la Escritura en voz alta (5 minutos).
- ✠ Lectura en silencio del comentario y preparación para discutirlo en grupo (3-5 minutos).
- ✠ Discutir el pasaje de la Escritura junto con el comentario y la reflexión (30 minutos).
- ✠ Leer el pasaje de la Escritura en voz alta por segunda vez, seguido de un

momento de silencio para la meditación y contemplación personal (5 minutos).

✠ Dedicar un poco de tiempo a orar usando el pasaje elegido. Los miembros del grupo leerán lentamente el pasaje de la Escritura por tercera vez, atentos a la voz de Dios mientras leen (10-20 minutos).

✠ Compartir con los demás las propias luces (10-15 minutos).

✠ Oración final (3-5 minutos).

2. Estudio bíblico

Alrededor de una hora

✠ Reunirse y recitar la oración introductoria (3 -5 minutos).

✠ Leer el pasaje de la Escritura en voz alta (5 minutos).

✠ Lectura en silencio del comentario y preparación para discutirlo en grupo (3-5 minutos).

✠ Discutir el pasaje de la Escritura junto con el comentario y la reflexión (40 minutos).

✠ Oración final (3-5 minutos).

Notas para el líder

✠ Lleva una copia de la Biblia de Jerusalén versión latinoamericana © 2007, Editorial Desclée de Brower u otra que te ayude.

✠ Haz un programa con las lecciones que verán cada semana.

✠ Prelee el material antes de cada clase.

✠ Establece algunas normas escritas básicas (por ejemplo: las clases duran solo noventa minutos; no se puede acaparar el diálogo discutiendo o polemizando, etc.).

✠ Ten las clases en un lugar apropiado y acogedor (algún salón en la parroquia, una sala de reuniones o una casa).

✠ Usen gafetes con los nombres de los participantes y organiza alguna actividad en la primera clase para romper el hielo; pide a los participantes que se presenten al grupo.

✠ Pon separadores en los pasajes de la Escritura que van a leer durante la sesión.

✠ Decide cómo quieres que se lea la Escritura en voz alta durante las clases (uno o varios lectores).

✠ Usa un reloj de pared o de pulso.

✠ Ten algunas Biblias extra (o fotocopias de los pasajes de la Escritura) para aquellos participantes que no lleven Biblia.

✠ Pide a los participantes que lean "Introducción al Pentateuco" (página 7) o la introducción correspondiente antes de la sesión.

✠ Di a los participantes qué pasajes van a estudiar y motívalos a leerlos antes de la clase; también invítalos a leer el comentario.

✠ Si optas por utilizar la metodología con Lectio divina, familiarízate tú primero con esta forma de orar. Hazlo con antelación.

Notas para los participantes

✠ Lleva tu propia copia de la Biblia de Jerusalén, versión latinoamericana © 2007, Editorial Desclée de Brower u otra que te ayude.

✠ Lee la "Introducción al Pentateuco" (página 7) o la introducción correspondiente antes de la sesión.

✠ Lee los pasajes de la Escritura y el comentario antes de cada sesión.

✠ Prepárate para compartir tus reflexiones con los demás y para escuchar las opiniones de los demás con respeto (no es un momento para discutir o hacer un debate sobre determinados aspectos de la fe).

Oración inicial

Líder: Dios mío, ven en mi auxilio,

Respuesta: Señor, date prisa en socorrerme.

Líder: Gloria al Padre y al Hijo y al Espíritu Santo,

Respuesta: como era en el principio ahora y siempre por los siglos de los siglos. Amén.

Líder: Cristo es la vid y nosotros los sarmientos. Como sarmientos unidos a Jesús, la vid, estamos llamados a reconocer que las Escrituras siempre se han cumplido en nuestras vidas. Es la Palabra viva de Dios que vive en nosotros. Ven Espíritu Santo, llena los corazones de tus fieles y enciende en nosotros el fuego de tu divina sabiduría, conocimiento y amor.

Respuesta: Abre nuestras mentes y corazones mientras aprendemos sobre el gran amor que nos tienes y que nos muestras en la Biblia.

Lector: (Abre tu Biblia en el texto de la Escritura asignado y léelo con calma y atención. Haz una pausa de un minuto, buscando aquella palabra, frase o imagen que podrías usar durante la *Lectio divina*).

Oración final

Líder: Oremos como Jesús nos enseñó.

Respuesta: Padre Nuestro...

Líder: Señor, ilumínanos con tu Espíritu mientras estudiamos tu Palabra en la Biblia. Quédate con nosotros este día y todos los días, mientras nos esforzamos por conocerte y servirte, y por amar como Tú amas. Creemos que a través de tu bondad y amor, el Espíritu del Señor está verdaderamente sobre nosotros. Permite que las palabras de la Biblia, tu Palabra, tomen posesión de nosotros y nos animen a vivir como Tú vives y a amar como Tú amas.

Respuesta: Amén.

Líder: Que el auxilio divino permanezca siempre con nosotros.

Respuesta: En el nombre del Padre, y del Hijo, y del Espíritu Santo. Amén.

El Pentateuco y sus libros

El nombre

Los primeros cinco libros de la Biblia se llaman en español "Pentateuco", una palabra griega que significa precisamente eso: cinco (*penta*) libros (*teuchos*). Este nombre indica la forma como se presentaba ya en la antigüedad, dividido en cinco volúmenes. Los judíos los designan con el título de "Toráh", que muchas veces se traduce como "ley", pero sería más apropiado interpretarla como "instrucción". Este segundo nombre considera sobre todo el contenido de los libros, en los que encontramos como punto central la alianza que Dios hizo con Moisés en el monte Sinaí y las leyes que le dio.

¿Quién escribió el Pentateuco?

Según la tradición, el autor del Pentateuco fue el mismo Moisés. Hasta el siglo XVII, esta tradición fue aceptada sin discusión por la mayor parte de los estudiosos. A partir del siglo XVIII, un estudio más cuidadoso de los textos originales llevó a la conclusión de que los libros del Pentateuco fueron escritos por varios autores, los cuales escribieron en diferentes períodos y en diferentes circunstancias históricas.

Las razones que los guiaron a esta conclusión fueron dos:

1. *Diferencias de estilo.* A veces se usa el nombre propio "Yahweh" para Dios (cf. Gn 2:4b-3:23), otras veces se le designa con el genérico "Elohîm" (cf. Gn 15:1-21), etc.

2. *Diferencias de contenido.* Algunos relatos están repetidos (cf. los dos relatos de la creación del ser humano, Gn 1 y 2; Abrahán hace pasar a Sara como a su hermana, Gn 12:10-20 y Gn 20), etc.

Tomando como base estos descubrimientos, algunos investigadores (alemanes en su mayor parte) desarrollaron varias teorías sobre la formación del Pentateuco.

La más importante de estas y la que ha tenido más aceptación hasta tiempos recientes es la llamada "teoría documentaria". Según esta teoría, el Pentateuco se ha formado por la fusión, en diversas épocas, de cuatro documentos. A continuación resumo sus características:

1. **J (Yahvista)**. Esta fuente se habría originado en Jerusalén alrededor del siglo X a.C. Contenía narraciones acerca de la Creación y las primeras familias, y usó el nombre propio Yahweh para Dios. Dado que los primeros estudiosos en notar esta característica fueron alemanes y en alemán esta palabra se escribe "Jahweh", se utilizó la letra "J" para referirse a esta fuente.

   La fuente Yahwista (J) cubre el período desde la creación del mundo hasta el viaje de los israelitas en el desierto. Aparte del uso del nombre propio de Dios, esta fuente tenía características distintas de los otros documentos. Dios es presentado usando cualidades propias de los seres humanos (lo que se llama antropomorfismo). Un ejemplo de esto es cuando se dice que Adán y Eva "oyeron luego el ruido de los pasos de Yahvé Dios que se paseaba por el jardín a la hora de la brisa" (Gn 3:8). Su estilo es más colorido que el de los otros documentos. La tradición Yahwista habría juntado historias, poemas, oráculos y otros materiales, dándoles la forma de una historia intrigante. La montaña donde Dios establece la alianza con Israel a través de Moisés es llamada Sinaí.

2. **E (Elohista)**. En el siglo IX a.C., otro autor habría escrito esta narración que, tiempo después, se volvió parte del Pentateuco. Se le conoce como la tradición Elohista porque usa el término más formal "Elohim" para Dios, por esta razón se le designa con la letra "E". El estilo de esta fuente es menos colorido que el Yahwista. Su autor evita describir a Dios con características humanas y usa más bien sueños, mensajeros celestes o apariciones majestuosas de Dios (teofanías) para describir su comunicación con los seres humanos. Esta tradición llama monte Horeb al lugar de la Alianza.

3. **P (Tradicion sacerdotal)**. Este autor –o autores– habría escrito alrededor de la mitad del siglo VI a.C. (550-540 a.C.), justo después que los israelitas volvieron del exilio en Babilonia. El relato sacerdotal, designado por la letra "P" (en Alemán sacerdote se dice "Priester") contiene genealogías y presenta su mensaje de forma más precisa y factual. El relato está también lleno de intereses típicos de los sacerdotes como las leyes y los rituales.

4. **D (Deuteronomista).** Fue escrito alrededor de los años 650 a 620 a.C. Su estilo característico son los sermones y se refiere con frecuencia a Dios con la frase "el Señor tu/nuestro Dios".

Aunque la teoría documentaria ha gozado de mucha aceptación y ha contribuido ampliamente a nuestro conocimiento del Pentateuco, en las últimas décadas ha perdido su carácter preponderante y ha entrado en crisis a causa de muchas objeciones que han ido surgiendo. En la actualidad, la tendencia es tratar de entender la unidad del texto tal como llegó a nosotros y no tanto explicar su origen o proceso de formación.

Nota sobre las genealogías y las leyes

Una dificultad para quien desea leer y estudiar la Biblia son las frecuentes listas de leyes y las genealogías presentes especialmente en el Pentateuco. Dichas leyes y listas de nombres no dicen nada a un lector moderno y su lectura se vuelve pesada y aburrida, por lo que se termina abandonando la lectura. Por este motivo, en el presente estudio un breve comentario indicará cuándo el lector puede saltar o simplemente dar una ojeada al texto bíblico en dichas secciones.

Genealogías: En el Pentateuco, las genealogías sirven para relacionar las historias y para mostrar al lector la línea familiar de las figuras más importantes presentes en las mismas. Esto es particularmente importante porque, siendo la promesa y su cumplimiento un tema fundamental en el Pentateuco, resulta imprescindible poder seguir el linaje que es depositario de dicha promesa. Es necesario recordar esto porque algunos nombres en las genealogías contienen un mensaje importante, a veces sutil, pero en otras ocasiones a decir verdad no dicen nada al lector.

Leyes y rituales: Los primeros 20 capítulos del libro del Éxodo son una interesante narración de la liberación de Egipto, el viaje por el desierto y la entrega de los Diez Mandamientos a Moisés en el Sinaí. Los capítulos 21 a 23, en cambio, contienen una serie de prescripciones dirigidas a personas que ya no son nómadas, sino que se hallan ya establecidas en la Tierra Prometida. Por esta razón se considera que estos capítulos fueron redactados por el autor sacerdotal (P), que escribió alrededor de los siglos VI o V a.C. En este libro se dará un breve comentario sobre las leyes, pero no se hará ninguna ulterior reflexión. El lector decidirá si ojear las leyes o saltarlas y seguir adelante.

Génesis

Nombre

Los libros del Pentateuco en las lenguas modernas han sido intitulados usando los nombres que les fueron dados en la traducción griega y que reflejan su contenido. El primer libro se intitula "Génesis", que en griego significa "inicio, comienzo, origen" porque contiene relatos del origen de varias cosas: origen del mundo por la creación, origen del mal por el pecado, origen de la cultura, de la dispersión de los pueblos; en un segundo momento, el origen del plan divino de salvación. En hebreo su título es "bereshit" que significa "en el principio" porque esa es la primera palabra del libro.

División del libro

En la antigüedad los libros no contenían índices ni divisiones en capítulos o versículos, sino que estaban escritos de corrido. Sin embargo, eso no quiere decir que no tuvieran un orden o estructura que se pueda descubrir. Los autores utilizaban diversos métodos para indicar la estructura de su obra.

En el caso del Génesis la clave es una frase que se repite diez veces en hebreo (hay un doblete en 36:1.9), y que se podría traducir literalmente "estas son las generaciones" (Gn 2:4; 5:1; 6:9; 10:1; 11:10.27; 25:12.19; 36:1.9; 37:2). En hebreo la palabra que traducimos con "generaciones", tiene el sentido de "historia, genealogía, descendencia, etc.", por eso la frase aparece traducida de forma ligeramente diversa en algunas ocasiones.

Tomando como base estas diez divisiones, notamos que se pueden distinguir dos grupos de cinco secciones (Gn 2:4; 5:1; 6:9; 10:1; 11:10 y Gn 11:27; 25:12.19; 36:1.9; 37:2) que indican una estructuración del libro en dos grandes partes:

Gn 1:1-11:26: Estos primeros capítulos del libro narran desde la creación hasta el período después del diluvio, terminando con la presentación de Téraj. Sirven para enmarcar la historia de Abrahán (y con él de todo el pueblo judío) dentro de la historia de la humanidad.

Gn 11:27-50:26: La segunda parte inicia con la genealogía de Téraj, padre de Abrán y se centra en la historia de la familia de este último a través de su hijo Isaac y su nieto. Termina con las presencia de los doce hijos de Jacob en Egipto.

Algunas consideraciones sobre el mito.

Los primeros once capítulos del Génesis contienen ecos de mitos que encontramos en otras culturas del Antiguo Medio Oriente, como la historia del diluvio, presente en la epopeya de Gilgamesh. Otras partes de la Biblia también se hacen eco de tradiciones semejantes (los Salmos, por ejemplo). El hecho de que encontremos este tipo de género literario en la Biblia no quiere decir que el contenido sea un mito en el sentido que se le da comúnmente a este término. Lo que sucede es que los autores de los libros sagrados han usado elementos provenientes de las culturas en medio de las que vivían y que eran bien conocidos, pero les han dado un nuevo sentido usándolos para expresar le fe de Israel en la que Yahvé es el único Dios y Señor de todo (en contraposición a las culturas de los pueblos vecinos, que creían en muchas divinidades).

Éxodo

El libro del Éxodo recibe su nombre del griego (*exodos* = "salida"). La palabra describe el contenido del mismo: la salida de Israel de Egipto bajo la guía de Moisés. En hebreo, el nombre de este libro es *shemot* = "nombres", pues las primeras palabras con las que inicia en esa lengua son "Estos son los nombres de los israelitas que fueron a Egipto con Jacob" (Éx 1:1). Los libros de Éxodo y Números se distinguen del resto del Pentateuco porque se centran en la vida de Moisés. El libro del Génesis prepara su aparición y Deuteronomio refiere sus últimas palabras, pero Éxodo y Números narran los eventos más importantes de su vida, dejando fuera sus últimos días y su muerte. Especial atención se le da al hecho de que ha sido el mediador de la Ley. Éxodo y Números son también los dos libros más largos del Pentateuco y mezclan narración con leyes. En medio de los dos está el libro del Levítico, que consiste en su mayor parte en leyes, pero las introducciones a cada sección, que inician con "Y el Señor dijo a Moisés" junto con los episodios en los cap. 8-10 y 24, nos recuerdan que este libro en realidad es la entrega de la Ley a Moisés.

Al contrario del Génesis, cuya estructura estaba señalada por la famosa frase "estas son las generaciones...", el libro del Éxodo no contiene elementos literarios que permitan definir la suya. Los estudiosos organizan el libro en torno al contenido. A continuación presentamos una de las propuestas:

Parte I: La esclavitud en Egipto y la liberación

1:1-22: La esclavitud y el genocidio

2:1-22: Nacimiento y crianza de Moisés

2:23-4:31: La misión de Moisés

5:1 -7:13: Enfrentamientos con el faraón

7:14-11:10: Las plagas

12:01-15:21: Éxodo de Egipto

15:22-18:27: Viaje al Sinaí

Parte II: Entrega de la Ley

19:1 -20:21: Revelación en el Monte Sinaí

20:22-23:33: Leyes y normas

24:1-18: Realización de la Alianza

Parte III: El tabernáculo

25:1-31:18: Instrucciones para la construcción del tabernáculo

32:1-34:35: El becerro de oro

35:1-40:38: Construcción del tabernáculo

Levítico

El tercer libro del Pentateuco ha sido nombrado en nuestras traducciones siguiendo la versión griega de los setenta, que lo llamó *Leuitikon* porque contiene las normas relacionadas con el culto, del que los levitas eran los responsables. En hebreo su título es *vayiqrá*, que son las primeras palabras del libro "Y llamó [Dios]".

Existe una continuidad entre el libro de los Números y el Levítico: Números termina con la construcción del tabernáculo y Levítico inicia con Dios que llama a Moisés desde el interior del mismo. Una vez que el tabernáculo ha sido terminado, Dios instruye a Moisés y a todo el pueblo sobre la forma correcta de rendirle culto.

Levítico es, probablemente, el libro menos leído de la Biblia. Los lectores modernos enfrentamos diversos problemas para entenderlo. En primer lugar, es muy difícil hacernos una idea de los sacrificios descritos en el libro porque nunca hemos o participado en uno y los textos rituales que tenemos han sido escritos para gente que ya tenía una idea de lo que eran esos sacrificios. Solo subrayan algunos puntos importantes, de forma que todos puedan ofrecer sacrificios aceptables a Dios. En segundo lugar, nos resulta difícil entender el valor e importancia de esos rituales porque estamos separados temporal y culturalmente de ellos. Sin embargo, si logramos entenderlos, podremos descubrir lo que constituye la esencia de la sociedad israelita. Por último, nos resulta difícil interpretar los rituales porque no hay personas vivas que nos expliquen el motivo de los distintos procedimientos. Esto se vuelve más complicado aún porque no tenemos las palabras que acompañaban a dichas acciones (por ejemplo, Levítico nos dice qué había que hacer cuando un "leproso" era curado, pero no dice qué había que decir). Se han desarrollado métodos para suplir en lo posible estas limitaciones, pero las dificultades permanecen en gran parte.

Es una pena que se lea tan poco este libro, porque aun con toda la dificultad que presenta su compresión, nos ofrece información muy valiosa para conocer la religión y la teología bíblica. Además, es fundamental para comprender el concepto de expiación o reparación presente en el Nuevo Testamento.

La idea central en el libro del Levítico es la santidad de Dios. Dicha idea está presente como fondo de todas las enseñanzas presentadas en las narraciones del libro. Santidad para Israel no era en primer lugar, contrariamente a nuestra perspectiva, una cualidad moral (buena conducta), sino una cualidad esencial. Santidad significa "separación", "distinción". En ese sentido, el único verdaderamente santo es Dios porque es el "completamente distinto". ¿Distinto de qué? Distinto de la creación. Está la creación y está Dios. Precisamente porque Dios es el "completamente distinto", el fenómeno de su santidad en relación con el hombre es esencialmente peligroso. No existe peligro más grande para los seres humanos pecadores que acercarse al ser divino y a la gloria de su santidad. Todas las demás realidades (personas, animales, cosas y espacios) son santas en cuanto están separadas *para* Dios. En este sentido, "santo" no se opone a "malo" sino a "ordinario".

El concepto de santidad para Israel era más una visión general del universo que una teoría sobre moralidad, aunque esta no estuviera excluida. El universo se dividía en dos: Dios (el Santo) y la creación (que contiene elementos puros –susceptibles de ser santificados, apartados para Dios– e impuros –que no pueden ser dedicados a Dios–).

El libro de Levítico se puede dividir en tres secciones principales, cada una de las cuales inicia con la fórmula "El Señor habló a Moisés, diciendo" o una muy semejante:

Parte 1	1:1-7:38	Leyes sobre sacrificios
		1:1-6:7 Instrucciones para los laicos
		6:8-7:38 Instrucciones para los sacerdotes
Parte 2	8:1-10:20	Institución del sacerdocio
Parte 3	11:1-16:34	Impureza y cómo tratarla
Parte 4	17:1-27:34	Prescripciones para santidad práctica

Al centro del libro se encuentra la institución del sacerdocio y, formando como un marco, las instrucciones sobre cómo realizar las dos funciones propias del sacerdocio: los sacrificios y la instrucción sobre la santidad.

Números

El nombre de este libro en español proviene de la traducción griega que lo llamó *arithmoi* (números), porque contiene dos censos del pueblo, uno al inicio (capítulo 1) y otro cerca del final (capítulo 26). Su título en hebreo es *bamidbar* (en el desierto). Ninguno de los dos títulos da una idea exacta de su contenido, que se parece al Éxodo, en cuanto que es una mezcla de textos narrativos y legales. Éxodo y Números comparten también otras características: los dos mencionan crisis de gran importancia, que amenazan la existencia misma de Israel (en el Éxodo es el becerro de oro; en el libro de los Números, la desconfianza de los exploradores); en ambos casos, Dios se apiada y no destruye al pueblo solo por la intercesión de Moisés; los dos libros tienen un final esperanzador: Éxodo termina con la erección del Tabernáculo, que es llenado por la presencia de Dios; Números se cierra con la profecía de Balaam.

La estructura de Números no está claramente marcada, como es el caso de Números y Levítico. Los comentaristas han dividido de forma tradicional el texto en tres partes de acuerdo con la ambientación geográfica:

Parte 1	1:1-10:10	Cerca del Sinaí
Parte 2	10:11-22:1	Cerca de Kadesh
Parte 3	22:2-36:13	En las llanuras de Moab

El censo y preparación para la partida del Sinaí (1:1-10:28)

Puedes saltar u hojear los textos bíblicos de esta sección.

En esta sección el editor habla del censo y de la disposición de las tribus, el lugar y los deberes de los levitas durante la marcha, el ritual del rescate de los primogénitos varones, leyes concernientes a la impureza, el robo, el adulterio, la bendición sacerdotal, las ofrendas de los líderes de las tribus para la Tienda del Encuentro y la celebración de la segunda Pascua. Aunque estos temas eran importantes para el pueblo de Israel en la Tierra Prometida, estos capítulos contienen información que es confusa, tediosa y difícil para el lector ordinario.

Deuteronomio

El Deuteronomio es quizás el libro del Antiguo Testamento que más ha influido en el Judaísmo y en el Cristianismo. Es la conclusión del Pentateuco y al mismo tiempo es el primero de los libros proféticos con el más grande de los profetas de Israel –Moisés– predicando a Israel sus últimos y apasionados sermones antes de morir. Se encuentran ecos del vocabulario y frases del Deuteronomio en todo el Antiguo Testamento y es uno de los libros más citados en el Nuevo Testamento.

Su título en español viene del griego y le fue dado por la traducción de *Los setenta*. En español se podría traducir como "Segunda ley", aunque es una imprecisión. No se trata tanto de una "segunda" ley, cuanto de una "repetición" o "segunda exposición" de la ley. Parece que el título griego proviene de una traducción inexacta de Dt 16:17: "Cuando suba al trono real, deberá escribir para su uso *una copia de esta Ley*, tomándola del libro de los sacerdotes levitas". El título en hebreo es "Estas son las palabras" (*elle haddebarîm*), siguiendo la tradición de nombrarlo con las primeras palabras del libro.

Deuteronomio, sin embargo, no es una simple repetición de la Ley dada en Números, sino que consiste en una actualización y aplicación a las circunstancias de la nueva generación que no participó en la experiencia del Sinaí y que está por entrar a la Tierra Prometida.

Moisés relata las experiencias del pasado para obtener las enseñanzas y exhorta y urge a esta nueva generación a ser fiel al Señor ahora que va a recibir el cumplimiento de la promesa, de manera que pueda mantenerla.

Se trata de una predicación que trata de convencer, exhortar, animar. Por ello está llena de la retórica típica del predicador. Es repetitiva e insistente. No quiere explicar, sino convencer. Cuando cuenta historias no es por interés del pasado, sino para convencer a los oyentes del presente.

El género literario del este libro es complejo. El que podría caracterizarlo mejor es el de "sermón profético", tomando en cuenta que se trata también de un discurso de despedida, semejante a las bendiciones en el lecho de muerte de Isaac (Gn 27:27-29.39-40), Jacob (Gn 49:2-27), Josué (Jos 23:2-24:27) y David (1 Re 2:2-9). Estos discursos normalmente repasan lo que Dios ha hecho por el héroe que está en su lecho de muerte, hacen predicciones sobre el futuro y exhortan a sus sucesores a ser fieles a Dios. El Deuteronomio es el discurso de despedida más largo de la Biblia.

El libro se cierra con un halagador epitafio de Moisés:

"No ha vuelto a surgir en Israel un profeta como Moisés, a quien Yahvé trataba cara a cara; nadie como él en todas las señales y prodigios que Yahvé le envió a realizar en el país de Egipto, contra el faraón, y contra todos sus siervos y contra todo su país, y en la mano tan fuerte y el gran terror que Moisés puso por obra a los ojos de todo Israel" (Dt 34:10-11).

La estructura del libro presenta esta forma:

1:1-5	Introducción
1:6-4:43	Primer sermón
4:44-49	Encabezado
5:1-28:69	Segundo sermón
29:1-30:20	Tercer sermón
31:1-34:12	Epílogo: los últimos días de Moisés

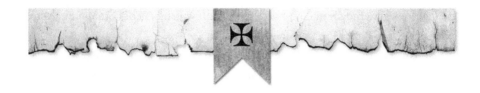

Narraciones de la creación

GÉNESIS 1-3

Y vio Dios todo lo que había hecho: y era muy bueno (Gn 1:31)

Oración inicial (ver página 14)

Contexto

Al inicio del Génesis encontramos dos historias que describen la creación del mundo y la creación particular del ser humano. La primera historia nos proporciona una panorámica de la creación: Dios crea el mundo en siete días y declara que toda la creación es buena. Esta primera historia lleva al lector de la creación de la luz al culmen de la creación: la creación de los seres humanos a imagen y semejanza de Dios.

El segundo relato se concentra en el particular de la creación del hombre a partir del polvo de la tierra. Dios crea también animales para que acompañen al hombre, pero reconoce la necesidad de los seres humanos de relacionarse con otros seres iguales. Por eso Dios crea a la mujer, tomando una costilla del hombre, mostrando de este modo que hombre y mujer son iguales. Igualdad y unidad se ponen de manifiesto con la exclamación de Adán: "¡Esta vez sí que es hueso de mis huesos y carne de mi carne!" (Gn 2:23).

ESTUDIO EN GRUPO (GN 1-3)

Leer en voz alta Génesis 1-3

Los tres primeros días de la creación (Gn 1:1-13)

La primera historia de la creación se abre con una imagen de una tierra informe y vacía, con la obscuridad cubriendo un profundo abismo y un fuerte viento soplando sobre las aguas. Este relato de la creación está estructurado en siete días divididos en dos grupos de tres que culminan en el séptimo, en que Dios se reposa. Si la tierra es descrita informe y vacía, YHWH es presentado como el creador omnipotente que con su palabra separa y da forma a los diversos espacios (días primero a tercero) y luego los llena con las creaturas (días cuarto a sexto). De hecho, los tres últimos días reflejan a los tres primeros:

Día	Dios separa	Día	Dios llena
1	Luz de tinieblas	4	Astros
2	Aguas de arriba y abajo (firmamento)	5	Peces y aves
3	Agua y tierra firme	6	Hombre y mujer
7	Dios descansó		

El texto no dice que Dios haya creado al mundo de la nada, dado que habla de un caos inicial, pero Dios crea de ese caos los cielos y la tierra. Aunque este texto no habla de la preexistencia de Dios, la Biblia expresa esta convicción por boca del salmista: "Antes de ser engendrados los montes, antes de que nacieran tierra y orbe, desde siempre hasta siempre tú eres Dios" (Sal 90:2). El autor de la primera historia de la creación presupone la preexistencia de Dios sin mencionarla explícitamente.

Dios comienza a introducir orden en el caos original creando en primer lugar la luz y separándola de las tinieblas. Haciendo esto, Dios está creando una secuencia ordenada de día y noche. En la antigüedad, mucha gente no reconocía la relación intrínseca entre la luz y el sol, sino que consideraba la luz como una realidad en sí misma. La luz será identificada en otros lugares de la Escritura con Dios mismo, por eso es sintomático que la primera cosa en ser creada sea la luz. La expresión "Pasó una tarde, pasó una mañana" refleja la práctica semítica de contar el día no desde la media noche, como hacemos nosotros, sino desde la puesta de sol del día anterior, por lo que un día está formado por la tarde anterior y la mañana sucesiva. Este estribillo se repetirá para cada día.

Después de cada acto de creación se dice que Dios vio que era bueno. Esta frase, junto con el estribillo sobre la mañana y la tarde, son algunos de los elementos poéticos de la primera historia de la creación.

El lector debe tener siempre en mente que esta es una historia contada para enseñar un mensaje inspirado: que Dios es el creador de un universo ordenado y que todo lo que se encuentra en él ha sido creado bueno. El autor no se proponía dar una cronología exacta según nuestros criterios. Podemos decir que para él era irrelevante que un día fueran veinticuatro horas o cien años, pues no era ese el punto que quería dejar claro. Por este motivo, sería inútil tratar de explicar la edad del mundo leyendo esta historia de forma literal, científica o histórica, pues no era esa la intención del autor al escribirla.

El segundo día, Dios separa las aguas que se encuentran arriba de la tierra de las que se encuentran abajo. En la antigüedad, la gente levantaba la mirada y veía el cielo azul, el color del agua, y experimentaban la lluvia que bajaba de lo alto como si alguien abriera unas compuertas dejándola pasar. Se formaron así una imagen del mundo dividido en dos por una bóveda o domo (también se traduce a veces como "firmamento" = firme seguro); en la parte de abajo estaría nuestra tierra y por encima de la bóveda estarían las aguas que servían para regar la tierra. En la historia del diluvio leemos que "las compuertas del cielo se abrieron" (Gn 7:11).

El tercer día Dios, con su palabra, reúne las aguas de debajo del cielo en un solo lugar permitiendo que emerja. la tierra firme. Dios llamó a los continentes "tierra" y a la masa de las aguas la llamó "mar". En este día hay una doble creación, pues Dios también hace que la tierra produzca vegetación. Nótese que Dios no crea directamente, sino que hace que la tierra produzca. El estribillo "y vio Dios que era bueno" aparece dos veces aquí, como para subrayar la importancia de este día, el tercero, de la obra de Dios.

Los cuatro últimos días de la creación (Gn 1:14-2:4ª)

Siguiendo el esquema mencionado al inicio, en el cuarto día Dios comienza la obra de llenar los espacios que ha creado en los tres primeros días. Este día él crea las luces que permitirán tener un calendario y, con él, observar las fiestas y las estaciones, los días y los años.

El quinto día, Dios puebla el cielo, que ha creado en el segundo día. Las aguas se llenaron de peces, de monstruos y animales que se deslizan y las aves vuelan en el espacio bajo el firmamento. Dios vio que era bueno y bendijo las creaturas para que fueran fértiles y se multiplicaran.

El sexto día, Dios ordena a la tierra producir todo género de animales, salvajes y domésticos. El tercer día, cuando Dios separó la tierra del agua, había hecho que la tierra produjera vegetación. En este día, su paralelo, Dios llama a la tierra a producir animales y reptiles. Dios vio que era bueno. En este mismo día, crea también a los seres humanos, pero de forma diferente. No vienen de la tierra, sino de Dios directamente. Dios se expresa en plural: "Hagamos al hombre a nuestra imagen y semejanza" (Gn 1:26), como si estuviera hablando con alguien más. Los comentaristas vieron posteriormente en esto una referencia a la Trinidad, mientras que otros recuerdan que en antiguo medio oriente, se imaginaba a Dios presidiendo sobre una especie de corte celestial. La imagen y semejanza de Dios a la que se refiere este pasaje es de tipo espiritual, no física.

Dicha imagen y semejanza es lo que eleva al hombre por encima de los animales. Dios los bendice y los hace macho y hembra, seres humanos fecundos, de forma que se puedan multiplicar, llenar la tierra y dominarla. Procreación y sexualidad son una idea de Dios, dadas para el bien de la humanidad. La llamada a multiplicarse es un mandato y un don de Dios. Dado que los seres humanos han sido hechos a imagen y semejanza de Dios, tienen dominio sobre la vegetación y los animales. Este dominio sobre la creación es un compartir la vocación creadora de Dios, más que una concesión para ejercer el poder de explotarla.

El autor corona las palabras finales de Dios en la creación con la frase "Y vio Dios todo lo que había hecho: y era muy bueno" (Gn 1:31). Así como el tercer día había terminado con una doble afirmación de la bondad de lo creado, el sexto día llega a su fin con una frase que indica con intensidad esa bondad.

En la primera historia de la creación hay varios elementos que conviene subrayar. El primero es que Dios crea por medio de su palabra. Las religiones del medio oriente antiguo nos han dejado cosmogonías (relatos de la creación del mundo), pero en ellas intervienen varias divinidades y la creación es casi siempre el resultado de una batalla entre ellos, en la que crean los elementos de los restos de los dioses enemigos asesinados. El Dios de Israel es el único y no tiene que hacer ningún esfuerzo espectacular para crear; basta que lo diga y se realiza, su palabra es eficaz. El segundo elemento presente aquí es la convicción de que todo lo demás, fuera de Dios, son creaturas: el sol, la luna, las estrellas, el mar, etc., mientras que para las otras culturas se trataba de dioses, a los que se temía y daba culto. Un tercer elemento es el optimismo con el que el autor sagrado ve la creación: todo ha salido bueno de las manos de Dios. Como cuarto elemento podemos notar que la acción creadora de Dios consiste sobre todo en poner orden y concierto entre las cosas. De hecho el nombre que le damos al universo procede del griego "kosmos", que significa "orden".

El autor se mueve del menos al más, afirmando que los seres humanos son el culmen de la creación. Luz y tinieblas, cielo y agua, tierra y vegetación, sol y luna, creaturas del mar y aves, animales y reptiles, todos han sido dados al ser humano, el culmen de la creación, para someterlos y usarlos correctamente.

Si la creación del hombre en el sexto día es el culmen del relato, su punto de llegada y destino final es el séptimo día, cuando habiendo terminado la obra de la creación, Dios descansa. El autor sagrado (probablemente el llamado "Sacerdotal") no menciona la observancia del descanso sabático para los demás, solo dice que Dios descansó en el séptimo día y lo santificó.

El segundo relato de la creación (Gn 2:4b-25)

Según la teoría documentaria, cuando el Antiguo Testamento fue editado, el editor tenía a la mano dos relatos de la creación. En lugar de fundirlos y crear uno solo, el editor Sacerdotal habría sencillamente colocado uno después del otro, uniéndolos con la frase "Esta es la historia de la creación del cielo y de la tierra" (Gn 2:4a). Cualquiera que sea la explicación de cómo llegó aquí este segundo relato, es claro que enriquece el mensaje teológico del primero al concentrarse en la creación del ser humano, viéndolo desde una perspectiva distinta. El primero es más mesurado y metódico, enlistando un día después de otro. El segundo, en cambio, viene de un narrador brillante que teje una historia magnífica sobre un Dios interesado e involucrado con su creatura el cual no crea dando órdenes, sino fabricando con sus manos; un Dios que premia, castiga y permanece un compañero constante. El estilo literario y la percepción que se tiene de Dios son distintos y enriquecen y complementan los del primer relato.

Gn 2:4-25 describe la vida en el jardín antes de la desobediencia. Este capítulo trata temas ya presentes en el capítulo 1, pero los discute con más detalle: el cap. 1 da una vista panorámica de toda la creación, pero 2:4-25 hace un acercamiento de primer plano a la creación del hombre y la mujer. El cap. 1 terminó con la creación del ser humano en dos sexos destinados a dominar la creación y abastecidos por Dios de alimentos. Los mismos temas aparecen, pero en orden inverso, en los capítulos 2 y 3. En primer lugar y reforzando el mensaje del cap. 1 de que Dios alimenta al hombre (no al revés, como las religiones paganas afirmaban), se hace notar la gran provisión de árboles frutales (cf. Gn 2:8-17). En segundo lugar, se reafirma el dominio de Adán sobre los animales haciéndolos venir para que él les dé un nombre (cf. Gn 2:18-20). Es digno de notarse que los animales son considerados como posibles compañeros para

Adán, no existe ningún indicio de que deba temerlos o que los vaya a explotar. Se expresa una fundamental armonía en la creación, así como salió de las manos de Dios. Como último acto, Dios crea a la mujer de la costilla del hombre y se la presenta en algo que parece una ceremonia matrimonial originaria. Esto expresa en forma de relato algunas de las convicciones más profundas del libro sobre la igualdad y cómo deben ser las relaciones entre los sexos.

El simbolismo del jardín es más claro que su colocación. La palabra Edén significa "deleite, placer, encanto" y es descrito como un lugar paradisíaco con agua abundante y frutos deliciosos.

El segundo relato de la creación describe a Dios creando al hombre de la arcilla de la tierra. En hebreo existe un juego de palabras, pues la palabra para "ser humano" es *Adam* y para tierra en sentido de "campo", la palabra es *Adamá*. Con esto se subraya que la materia de la que está constituido físicamente el ser humano es la misma del resto de la creación. El texto que sigue nos dice, sin embargo, que esto no es suficiente para explicar el origen del hombre. Dios sopló en su nariz, signo del espíritu divino donado al ser humano y, entonces sí, "el hombre se convirtió en ser vivo" (Gn 2:7). Hay aquí una clara profesión de que, aunque el ser humano proviene físicamente de la misma materia que el resto del universo, su origen último viene de Dios.

Después de eso, Dios planta un jardín en Edén, hacia el Este, y coloca ahí al hombre. En hebreo Edén significa "delicia, encanto" y es descrito como un parque, un lugar paradisíaco, con abundante agua y poblado de árboles frutales. También se dice que abundan el oro y las piedras preciosas. En el centro del jardín estaban plantados el árbol de la vida y el árbol del conocimiento del bien y del mal.

La localización del jardín es, por decir poco, problemática. Dado que, de acuerdo con el texto, los ríos Tigris y Éufrates son alimentados por el río que regaba el Edén, se podría deducir que el jardín se encontraba en alguna parte del norte de Mesopotamia, donde estos ríos nacían. Por otro lado, también se dice que no se puede entrar al jardín porque la entrada está custodiada por un querubín (Gn 3:24). El autor parece indicar con esto que, aunque el jardín es un lugar real, no es accesible al ser humano.

El simbolismo del jardín es mucho más claro que su localización. Las imágenes que encontramos en su descripción (abundancia de agua y árboles frutales, oro y piedras preciosas) serán usadas posteriormente para describir la tienda del encuentro (Éx 25-40) y el templo de Jerusalén. Todos estos símbolos apuntan a que el jardín, y después el Templo, son el lugar donde habita el Dios que da vida a toda la creación.

Ya en el v. 8 se dice que Dios "colocó en él al hombre que había modelado"; más adelante se precisa que "Tomó, pues, Yahvé Dios al hombre y lo dejó en el jardín de Edén, para que lo labrara y cuidara" (Gn 2:15). El texto parece sugerir que Dios da al hombre el trabajo como encargo de colaboración en la obra creadora desde el inicio de su existencia, pues le manda que cultive el jardín antes del pecado original. Más adelante descubriremos que el castigo por el pecado no es el trabajo, sino la fatiga y dificultad con que este se realizará.

El autor de esta segunda narración de la creación nota también que el ser humano es una creatura social, que necesita el contacto con otros seres humanos. Dios reconoce que no es bueno que el hombre esté solo y crea de la misma tierra a los animales y a los pájaros, y los presenta a Adán para que les dé nombre. Para los israelitas darle el nombre a algo o alguien implicaba tener dominio sobre ello. Con este gesto, Dios le está dando dominio a Adán sobre los animales. El hombre les da nombre, pero "no encontró la ayuda adecuada" (Gn 2:20). Entonces Dios hace dormir a Adán, toma una de sus costillas y de ella forma a la mujer. Al verla, Adán reconoce en ella alguien semejante a él y exclama: "¡Esta sí que es hueso de mis huesos y carne de mi carne!" (Gn 2:23) y le da el nombre genérico de "hembra" "porque del varón ha sido tomada". En hebreo hay de nuevo un juego de palabras, pues hombre se dice "ish" y mujer o hembra "ishah". Más adelante le dará el nombre propio de "Eva". Este es también un juego de palabras, pero esta vez con la palabra: Havah en hebreo (Eva en español) significa "vida". A diferencia de los animales que fueron creados de la tierra, sin relación con Adán, la mujer ha sido tomada del hombre, lo cual muestra que existe una unidad y mutua necesidad. Por este motivo, dice el texto, "Por eso deja el hombre a su padre y a su madre y se une a su mujer" (Gn 2:24). Ya eran una carne, cuando Dios tomó la costilla de Adán, y están destinados a ser de nuevo "una carne".

La segunda narración de la creación termina con la afirmación de que los dos estaban desnudos, pero no sentían vergüenza. La desnudez y ausencia de vergüenza expresan la mutua apertura e inocencia que existía en su existencia y relación.

Expulsión de Edén (Gn 3:1-24)

El capítulo 3 inicia con la presentación de la serpiente como "el más astuto de todos los animales del campo que Yahvé Dios había hecho" (3:1). La serpiente era vista en la antigüedad como un ser astuto y para algunas culturas era símbolo de inmortalidad y fecundidad. El autor del texto no identifica a la serpiente con el mal, sino que hace un juego entre las palabras hebreas para "desnudo" (*arum*) y astuto (*arom*). Es decir: el hombre y la mujer estaban desnudos (*arumim*), pero la serpiente era la más astuta (*arum*) de todos los animales. La serpiente se comporta astutamente con la mujer, actuando como si estuviera interesada en Eva y describiendo a Dios como astuto o ladino.

La serpiente pregunta si Dios les ha prohibido comer de todos los árboles del jardín. La mujer responde diciendo que pueden comer de todos, excepto del que está en el centro del jardín, porque si comen de él o lo tocan, morirán. La colocación del árbol en el centro del jardín es algo significativo porque intensifica la tentación; la tentación se vuelve algo central en la existencia humana.

La astuta serpiente dice a la mujer que no morirán, sino que Dios sabe que si comen del fruto se les abrirán los ojos y serán como Dios, conocedores del bien y del mal. La mujer vio que el fruto era bueno para comer y aún más atractivo para obtener conocimiento, así que "Tomó de su fruto y comió, y dio también a su marido, que igualmente comió" (3:6). En una frase de ironía, el autor sagrado afirma que "se les abrieron a entrambos los ojos", pero no para obtener lo que ladinamente la serpiente había prometido, sino para darse cuenta de que estaban desnudos: habían perdido la inocencia por desobedecer a Dios.

El autor presenta a Dios con características humanas, paseándose por el jardín a la hora del fresco. Tiene que llamar al hombre y preguntarle dónde está y el hombre reconoce que él mismo está separado de Dios porque está desnudo.

El capítulo 3 muestra cómo todos los placeres y maravillas del Edén se perdieron a causa de la mujer que tomó el fruto prohibido y del hombre que lo comió. La inocente intimidad que existía entre ellos se rompió inmediatamente: llenos de remordimiento se escondieron entre los árboles y se cubrieron con hojas de higuera y cuando Dios les echó en cara su pecado, se acusaron el uno al otro (3:6-13). Sin embargo, las consecuencias a largo plazo son peores aún: la armonía que existía entre el hombre y los animales será reemplazada por conflicto perpetuo (3:15). El papel de la mujer como madre y esposa estará cargado de tensión y dolor (3:15), mientras que la tarea del hombre de cultivar el campo se caracterizará de ahora en adelante por una pesada y frustrante fatiga y, finalmente, por la muerte (3:17-19).

Como castigo final, ambos son expulsados del Edén, que es la morada de Dios y, por esto, fuente de la vida. De esta manera se cumple la amenaza anunciada en 2:17: "el día que comieres de él morirás sin remedio".

Sin embargo, escondido entre los anuncios de castigo, como una pequeña semilla, se encuentra una frase que desde la antigüedad fue considerada como el anuncio de un Mesías que vencería los poderes del mal: "Enemistad pondré entre ti y la mujer, entre tu linaje y su linaje: él te pisará la cabeza mientras acechas tú su calcañar" (3:15). Por este motivo, el pasaje es llamado el Protoevangelio (primer Evangelio). El cuidado y ternura que Dios continúa mostrando por Adán y Eva, no obstante el pecado, se advierte también en que "hizo para el hombre y su mujer túnicas de piel" (3:21).

Preguntas de reflexión

1. ¿Qué consecuencias para nuestro modo de entender el mundo y la naturaleza puedes deducir del relato de la creación? ¿Y del segundo relato?
2. ¿Por qué está colocado el árbol del conocimiento del bien y el mal en el centro del jardín? Explica y discute.

Oración final (ver página 15)

Lectio divina (ver página 8)

Relájate y mantén una postura de oración (espalda recta, ojos cerrados, pies apoyados en el suelo). Este ejercicio puede durar cuanto gustes, pero en el contexto de este estudio bíblico, de 10 a 20 minutos deberían ser suficientes.

Las meditaciones que siguen se ofrecen para ayudar a los participantes a usar esta forma de oración, pero hay que considerar que la *Lectio* está pensada para conducirlos a un ambiente de contemplación orante, donde la Palabra de Dios habla al corazón de quien la escucha (ve la página 8 para más instrucciones).

Los tres primeros días de la creación (Gn 1:1-13)

Un hombre y una mujer caminaban por la orilla del mar y bendecían a Dios por la belleza del vasto océano que estaba ante ellos. Otra pareja escalaba una montaña y contempló verdes valles y dijeron "Dios es bueno". Un niño de once años llevó a casa una flor del campo y se la dio a su madre diciendo: "Dios te dio esto". Una pareja de ancianos, sentados en un pórtico un día tibio, reían juntos al mismo tiempo que apoyaban las manos en sus espaldas adoloridas mientras se levantaban y decían "Dios ha sido bueno con nosotros". Y vio Dios a toda la gente que aprendió acerca del amor de Dios a través de la creación, y vio Dios que la creación era buena.

✠ *¿Qué puedo aprender de este pasaje?*

Los cuatro últimos días de la creación (Gn 1:14-2:4a)

Una mañana soleada, una mujer y su esposo estaban pescando en un arroyo, escuchando los pájaros y mirando una ardilla corretear de un árbol a otro. Estaban gozando los dones de la creación de Dios y se maravillaban del silencio matinal, roto solo por el canto de los pájaros y de alguna onda ocasional en el agua provocada por un pez atrapando su desayuno. Su hija de veinte años estaba viendo a sus hermanos, dos muchachos y una muchacha, todavía dormidos en la cabaña que habían rentado para las vacaciones. La pareja trabajaba duramente toda la semana, y ahora estaban gozando el don de Dios de la naturaleza. Finalmente, la mujer sonrió y dijo, "tenemos todo esto, y nos tenemos el uno al otro". El hombre sonrió y dijo "Y vio Dios que era bueno".

✠ *¿Qué puedo aprender de este pasaje?*

La segunda historia de la creación (Gn 2:4b-25)

Si Dios nos dijera que podemos ir al jardín del Edén, donde la vida sería fácil, el agua para nadar perfecta, llovería solo de noche y tendríamos cualquier comida y bebida que quisiéramos, seguramente pensaríamos que eso sería maravilloso. Pero si Dios añadiera que tendríamos que ir solos, sin ninguna compañía humana, la mayor parte de nosotros rehusaría inmediatamente el ofrecimiento. Dios creó el jardín del paraíso, pero el paraíso real consiste en amar y ser amados, y ser conscientes de ello. Como dijo Dios "No es bueno que el hombre esté solo". Los seres humanos se necesitan los unos a otros.

+ *¿Qué puedo aprender de este pasaje?*

La expulsión del Edén (Gn 3)

La serpiente astuta que aparece en este relato toca nuestro deseo de controlar nuestro propio destino. Si comemos del fruto, es decir si nos rendimos a la tentación, seremos como Dios. Dado que el fruto es prohibido, parece más misterioso, más tentador. Tomamos el fruto e inmediatamente nos damos cuenta de cuán desnudos y vulnerables somos. Queremos escondernos de los demás no descubriendo o queriendo ocultar nuestros secretos. Podemos incluso querer escondernos de Dios y presentar excusas, echando la culpa a otros por nuestras faltas. Sin embargo, tenemos siempre el consuelo de que Dios quiere aún caminar con nosotros, sin importar lo que hayamos hecho. Dios nunca nos abandona.

✠ *¿Qué puedo aprender de este pasaje?*

Nota: esta lección no tiene una parte de estudio individual

De Caín a Abrán

GÉNESIS 4-11:26

Cuando yo cubra de nubes la tierra, entonces se verá el arco en las nubes y me acordaré de la alianza que media entre mí y ustedes y todo ser vivo, y no habrá más aguas diluviales para exterminar la vida (Gn 9:14-15).

Oración inicial (ver página 14)

Contexto

Parte 1: Génesis 4-8. Dios acepta la ofrenda de Abel, pero no la de Caín, el cual mata a Abel. Dios dice a Caín que la sangre de su hermano grita al cielo desde el suelo y lo castiga convirtiéndolo a él y a su descendencia en vagabundos. Adán y Eva conciben otro hijo llamado Set. El mundo se vuelve tan pecaminoso que Dios escoge a Noé y a su familia para hacerlos escapar de un gran diluvio. Noé construye un arca y embarca a su familia y animales en ella. La familia de Noé y todos los animales sobreviven al diluvio.

   Parte 2: Génesis 9-11. Dios hace una alianza con Noé y pone un arcoíris en el cielo como signo de esa alianza prometiendo no volver a destruir el mundo con un diluvio. El segundo hijo de Noé, Cam, peca contra su padre y Noé lo maldice a él y a su descendencia. Más adelante, cuando Dios ve a la gente construyendo una torre para llegar con su cima al cielo, los castiga confundiendo sus lenguas y causando su dispersión. Abrán, su mujer Sara y su sobrino Lot aparecen como nómadas emigrando desde Ur a Canaán.

PARTE 1: ESTUDIO EN GRUPO (GN 4-8)

Lee en voz alta Génesis 4:1-16 y 6-8.

Caín y Abel (Gn 4:1-16)

Adán tiene relaciones con su mujer y ella concibe un hijo a quien pone por nombre Caín. Más tarde concibe a otro hijo llamado Abel. Cuando son ya grandes, ambos llevan una ofrenda a Dios. Caín, que labra la tierra, lleva una ofrenda de los frutos de la tierra; Abel, que es pastor, lleva la mejor parte de los primogénitos de su rebaño. El texto dice que Dios miró complacido la ofrenda de Abel y rechazó la de Caín sin dar una razón explícita. Quizá dicho motivo está precisamente en la forma como el texto presenta la ofrenda de los hermanos: Caín ofrece algo tomado de sus productos, pero Abel presenta lo mejor de su rebaño. Esta es la primera vez que se toca uno de los temas más importantes de la Biblia: el sacrificio y, concretamente, que a Dios se le debe ofrecer lo mejor.

Caín se irritó mucho y Dios le advirtió que el pecado estaba acechando a su puerta. El autor representa el pecado como un animal acechando a su presa. Caín mata a su hermano Abel, cometiendo el primer asesinato en la Biblia. Después del pecado de Adán y Eva, la Biblia presenta una humanidad que se va deteriorando cada vez más. Dios se enfrenta a Caín y le pregunta por su hermano, a lo que Caín responde cortante: "No sé. ¿Soy yo acaso el guardián de mi hermano?" (4:9). La respuesta sobreentendida que se encuentra presente en todas las Escrituras es "sí". Dios afirma que la sangre de su hermano Abel grita desde el suelo. Según el libro de los Números, la sangre era sagrada por ser la sede de la vida y la sangre de asesinatos no castigados contaminaba la tierra (Nm 35:33).

Dios castiga a Caín diciéndole que la tierra no dará más fruto para él, convirtiéndolo así en un vagabundo, a él que antes era un campesino. Caín teme por su vida al tener que vivir constantemente como vagabundo, pero Dios pone algún tipo de marca (quizá un tatuaje) para protegerlo. El uso de tatuajes como marcas tribales en vagabundos era una práctica común. Caín se establece en la tierra de Nod, un nombre simbólico más que un lugar real (Nod en hebreo significa "vagabundo, fugitivo").

4:17-5 El linaje familiar de Adán y Eva

Lee la "Nota sobre las genealogías y las leyes" en "Introducción: Pentateuco", en la página 7. Puedes saltar u ojear solamente el texto bíblico en esta sección.

La mujer de Caín concibió y dio a luz un hijo llamado Henoc. Caín fundó una ciudad y la llamó como su hijo: Henoc. Se mencionan rápidamente las siguientes cuatro generaciones. Caín es reconocido como el padre de la civilización, pero la civilización, con todas sus ventajas, no resuelve la separación entre Dios y el hombre. Esto aparece ilustrado en la historia del Lamec, la cuarta generación después de Adán. Lamec promete: "Yo maté a un hombre por una herida que me hizo y a un muchacho por un cardenal que recibí. Caín será vengado siete veces, mas Lamec lo será setenta y siete" (Gn 4:23-24). El corazón del hombre se endurece cada vez más conforme pasa el tiempo y el deseo de venganza por las ofensas recibidas se vuelve cada vez más fuerte.

El capítulo 4 termina con un rayo de esperanza: Eva da a luz de nuevo y tiene un hijo al que llaman Set y al que ve como el sustituto de Abel. Set tuvo un hijo llamado Enós, del que se dice que fue el primero en invocar el nombre del Señor (YHWH). Tal parece que el autor (Yahvista) coloca la aparición del nombre propio de Dios desde los inicios de la humanidad. Otro texto, de origen Sacerdotal según la teoría documentaria, coloca la revelación del nombre divino a Moisés: "Dios habló a Moisés y le dijo: «Yo soy Yahvé. Me aparecí a Abrahán, a Isaac y a Jacob como El Sadday; pero mi nombre de Yahvé no se lo di a conocer»" (Éx 6:2-3).

Preparación para el diluvio (Gn 6:14-7:5)

La historia del diluvio se abre con la formula mencionada anteriormente: "esta es la historia de Noé", que indica el inicio de otra de las secciones principales del Génesis. A continuación el autor inspirado menciona los nombres de los tres hijos de Noé: Sem, Cam y Jafet.

Cuando Dios ve que el resto de la tierra estaba corrompido y lleno de crímenes, le informa a Noé de su decisión de exterminar a todos los seres vivientes. También le da instrucciones para que construya un arca con compartimientos y de calafatearla (es decir, untarla con brea o pez, un tipo de chapopote) por dentro y por fuera para hacerla impermeable. En la epopeya babilónica de Guilgamesh, el héroe recibe la misma orden. Dios da también a Noé las medidas que debe tener el arca. La medida que usa es el codo (alrededor de 45 cm, aunque no había un estándar universal) que se medía desde el codo hasta la punta del dedo medio. Debe tener 3 niveles (otro dato en común con la epopeya de Guilgamesh).

En medio del anuncio del diluvio, Dios hace una alianza con Noé: él, su mujer, sus hijos y las mujeres de sus hijos, así como una pareja de cada especie subirán al arca y se salvarán. Esta es la primera vez que la palabra "alianza" (*berit* en hebreo) aparece en la Biblia. Dios hablará por siete veces con Noé en la narración del diluvio, mostrando así por un lado la importancia de la palabra divina y por otro la obediencia de Noé, subrayada por la frase final del v. 22: "Así lo hizo Noé y ejecutó todo lo que le había mandado Dios".

El cap. 7 se abre con otra serie de indicaciones que Dios da a Noé y con la confirmación de que Dios se ha fijado en él porque es el único hombre justo de su generación. En 6:19, Dios había mandado a Noé meter al arca una pareja de cada especie sin distinciones. En 7:2 el mandamiento es más explícito: debe embarcar siete parejas de cada animal puro y una pareja de los impuros. La razón para solicitar siete pares es que algunos de los animales puros serán destinados a los sacrificios. Dado que los impuros no serán sacrificados, una pareja basta para preservar la especie. Finalmente, Dios decreta que en siete días comenzará a caer una lluvia sobre la tierra que durará cuarenta días y cuarenta noches.

El diluvio universal (Gn 7:6-8:14)

Por segunda vez, el autor repite que Noé y su familia subieron al arca. Esta segunda entrada en el arca demuestra para algunos autores que el editor final está usando dos fuentes diversas. La historia del diluvio es la sección central de las cinco que forman la primera parte del libro del Génesis (Gn 1-11:26). Como resultado del diluvio el viejo mundo es destruido, pero en cuanto las aguas se retiran, el mundo es recreado. Tanto la destrucción y la recreación se hacen eco de los capítulos iniciales del libro. Noé es visto como el segundo Adán, el segundo padre de la raza humana.

Cuando Noé tenía 600 años, las aguas del diluvio cayeron sobre la tierra. La descripción del diluvio sigue la imagen del mundo dada en el segundo día de la creación: "saltaron todas las fuentes del gran abismo, y las compuertas del cielo se abrieron" (Gn 7:11). Por cuarenta días y sus noches llovió.

Después de 150 días una nueva creación comenzó cuando "Se acordó Dios de Noé y de todos los animales y de los ganados que con él estaban en el arca" (8:1). Cuando Dios recuerda algo en la Biblia es para actuar (cf. Gn 19:29; 30:22; Éx 2:24). Dios mandó un viento (*ruah*, en hebreo) sobre la tierra y las aguas comenzaron a bajar. Esto es un eco de Gn 1:1 donde se dice que "Y un viento de Dios aleteaba por encima de las aguas". Las fuentes del abismo y las compuertas del cielo se cerraron, como sucedió en el segundo día de la primera creación.

Pasados cuarenta días, Noé soltó un cuervo que voló de un lado para otro hasta que se secó el agua en la tierra. Después soltó una paloma que volvió por no encontrar donde posarse. Esperó una semana y soltó la misma paloma, que volvió con un ramo de olivo, indicación de que el agua se estaba retirando. La semana siguiente mandó una paloma que ya no volvió. Nótese la doble mención de los siete días, también relacionada con la primera creación.

La alianza con Noé (Gn 8:14-22)

Después de esperar un mes y diecisiete días más, el día diecisiete del mes segundo, un año exacto después de que comenzara el diluvio, el Señor mandó a Noé descender del arca junto con su mujer, sus hijos, sus nueras y todos los animales que estaban con él. Como signo de la nueva creación, Dios repite dos veces (Gn 8:14 y 9:1) el mandamiento que dio en la primera creación: "sean fecundos y multiplíquense" (Gn 1:22.28).

Pero ¿es la nueva creación idéntica a la primera? ¿Ha purificado el diluvio la tierra o volverán a aparecer los viejos problemas de la maldad y violencia humanas? Estos son los problemas a los que trata de responder la narración apenas Noé desembarca.

La primera cosa que Noé hace es construir un altar y ofrecer animales y aves de toda especie pura al Señor. "Al aspirar Yahvé el calmante aroma, dijo en su corazón: «Nunca más volveré a maldecir el suelo por causa del hombre»" (8:21). En la epopeya de Guilgamesh, los dioses olieron el suave olor del sacrificio del héroe y se arrepintieron de destruir la raza humana porque estaban hambrientos y necesitaban del sacrificio de los hombres. La razón dada para *no* volver a mandar el diluvio es sorprendentemente semejante a la que ha sido dada antes para *sí* mandarlo: el corazón del hombre se pervierte desde su juventud (cf. Gn 6:5). ¿Cómo se puede explicar este cambio radical? El texto explica este cambio de actitud en Dios debido al sacrificio de Noé; no debemos olvidar que Noé ha sido calificado por Dios mismo como el único hombre justo de su generación. De nuevo, encontramos que el libro del Génesis hace una observación acerca del sacrificio sirviéndose de una narración. En este caso la utiliza para ilustrar cómo el sacrificio de un hombre justo puede hacer reparación por el pecado de otros, en el caso concreto de Noé, por los pecados de toda la raza humana.

Preguntaʃ de reflexión

1. ¿Qué respuesta podría dar Dios a la pregunta de Caín, "¿soy acaso el guardián de mi hermano?
2. ¿Por qué escogió Dios solo a Noé y a su familia?
3. ¿Qué semejanzas encuentras entre las dos historias de la creación y la historia del diluvio?

Oración final (ver página 15)

Haz la oración final ahora o después de la *Lectio divina*.

Lectio divina (ver página 8)

Caín y Abel (Gn 4:1-16)

Jesús enseña que todos somos prójimos (hermanos y hermanas los unos de los otros) y cuenta la historia del buen samaritano que vive como verdadero prójimo al cuidar a un extraño tirado en una zanja. Lava sus heridas y lo lleva a una posada, diciendo al posadero que pagará toda la deuda del herido a su regreso (cf. Lc 10:25-37). Los dos primeros prójimos que ignoraron al hombre en la zanja no se vieron a sí mismos como prójimos del hombre. No fueron los guardianes de su hermano o hermana. En la creación de Dios, todos somos hermanos y hermanas en Cristo, y estamos hechos para preocuparnos caritativamente los unos por los otros.

✠ *¿Qué puedo aprender de este pasaje?*

La corrupción del pecado (Gn 6:1-13)

La serpiente de la historia tienta a Adán y Eva seduciéndolos para que coman el fruto prohibido sugiriendo que serán como Dios. Tristemente, el pecado nos hace menos como Dios. Hemos sido llamados a amar como Dios ama y a usar nuestra vida para el bien de Dios y de los demás. El problema que aparece cuando el mal se extiende es que la gente se olvida de que toda vida pertenece a Dios. Había mucha gente buena en el mundo cuando Jesús vino, pero ninguno de ellos tenía el poder de vencer al mal. Lo necesitábamos a él para salvarnos. El arca de Jesús no fue un arca, sino la cruz. En Jesús una nueva creación ha comenzado, así como una nueva creación comenzó cuando Noé salvó a su familia y a los animales en el arca, sin embargo la nueva creación que nos llega con

Jesús es distinta. En Jesús somos verdaderamente hechos "creaturas nuevas" (cf. 2 Cor 5:17).

✠ *¿Qué puedo aprender de este pasaje?*

El diluvio universal (7:6-8)

Un niño y un adulto se acercan a la fuente bautismal. El celebrante les da la bienvenida en nombre de la comunidad y unos momentos después bendice el agua del Bautismo. El celebrante recuerda las aguas del diluvio universal que trajeron una nueva creación. Ahora, en las aguas del bautismo, una nueva creación está por empezar. El apóstol Pablo dice que en el Bautismo morimos en Cristo y somos resucitados a una vida nueva en él. Cada uno de nosotros que celebra el sacramento del Bautismo ha sido llamado a hacer una realidad esta nueva creación en Cristo amando a Dios y a nuestro prójimo como a nosotros mismos. Las aguas nos guían a una nueva creación.

✠ *¿Qué puedo aprender de este pasaje?*

PARTE 2: ESTUDIO INDIVIDUAL (GN 9-12)

Día 1: Alianza con Noé (Gn 9)

En la primera historia de la creación, Dios dice a los seres humanos que sean fecundos, que se multipliquen y que llenen la tierra. Ahora, en esta creación renovada, Dios da la misma indicación a Noé y a sus hijos.

La cuestión que queda en el aire es: si los pensamientos del hombre son tan malvados como eran antes, ¿la violencia seguirá siendo un problema en esta nueva realidad? Ese es el tema de 9:1-7, que contrasta intencionalmente la situación después del diluvio con la de antes:

Tema	Creación original	Nueva creación
Relaciones hombre-animales	Bajo el control del hombre 1:28	Temerán y tendrán terror del hombre (9:2)
Comida permitida	Solo plantas (1:29-30)	Plantas y carne sin sangre (9:3-4)
Imagen de Dios	No se mencionan consecuencias (1:26-27)	Ser imagen de Dios significa que el asesinato merece la misma retribución (9:5-6)

Parece claro que Génesis 1 prevé un mundo en armonía. Los animales no se atacan entre sí o a los hombres; tampoco los hombres se matan mutuamente o comen animales. Génesis 9, más bien, pone ciertos principios para evitar que la violencia se salga de control de nuevo. Se reafirma el control del hombre sobre los animales, pero el tipo de control benévolo de 1:28 será reemplazado por temor y terror. El vegetarianismo del inicio es substituido por el permiso para comer carne, siempre y cuando se respete el principio de la vida no consumiendo la sangre de los animales.

Dios establece una alianza con Noé, con sus descendientes y con todo ser viviente que estuvo con ellos en el arca. La alianza asegura que Dios no volverá a destruir la tierra con las aguas. Como signo de la alianza, Dios pone un arco en las nubes, que servirá como recordatorio de la alianza entre Dios y los hombres. El arco, que a veces es visto como arcoíris durante o después de una tormenta, representa el arma usada para cazar. El arco de Dios es grande y hermoso. El autor usa el recurso literario de la repetición para reforzar su mensaje. Habla de establecer una alianza en los versículos 9, 11, 12 y 17, y de Dios que posa su arco en los versículos 14 y 16.

El autor menciona que Noé se dedicó a la agricultura y fue el primero en plantar una viña. Después de beber del vino que había producido se emborrachó y estaba recostado, desnudo, en medio de su tienda cuando lo vio su hijo Cam. Cuando Cam les cuenta a sus hermanos el hecho, al parecer ridiculizando a su padre, sus hermanos toman un manto y, sosteniéndolo en sus hombros, entran en la tienda caminando hacia atrás para cubrir a su padre sin verlo. Cuando Noé se despierta y averigua por sus otros dos hijos lo que pasó, maldice a Canaán, hijo de Cam, prediciendo que la descendencia de Cam será las más baja y serán los esclavos para sus hermanos. Noé premia a Sem y Jafet con bendiciones.

En el antiguo medio oriente, los hijos tenían el deber de proteger el honor de sus padres y cubrir sus faltas. Cam deshonra a su padre con una falta doble, primero, por mirar su desnudez, y segundo, diciéndolo a sus hermanos. Aunque puede parecer injusto que Noé maldiga a Canaán, por la falta de su padre, este texto parece estar aquí para explicar eventos posteriores de la historia de Israel. En el capítulo 10 leeremos que Abrahán y los israelitas descienden de Sem, pero los tradicionales enemigos de Israel descienden de Cam (Egipto, Asiria y Babilonia), pero el peor de todos, en la perspectiva de Génesis, fue Canaán.

Lectio divina

Dedica de 8 a 10 minutos a la contemplación silenciosa del siguiente pasaje:

En tiempos antiguos, honrar al padre y a la madre era lo más importante después de la propia relación con Dios. Cuando el hijo de Noé, Cam, lo deshonró, Noé maldijo a su hijo. De la historia aprendemos una lección para nuestro mundo contemporáneo. Cuando enseñamos a los niños a honrar a sus padres, también debemos enseñar a los hijos adultos a que cuiden a sus padres ancianos sin importar su condición. Después de los tres primeros mandamientos que tratan de las relaciones del hombre con Dios, viene el siguiente más importante, es decir, honrar a nuestros padres. Este mandamiento es así de importante.

✠ *¿Qué puedo aprender de este pasaje?*

Día 2: La tabla de las naciones (Gn 10)

Nota: Leer "Nota sobre las genealogías y las leyes" en "Introducción al Pentateuco", página 7. Puedes ojear o saltar el texto bíblico en esta sección.

Noé recibió el mandamiento de ser fecundo, multiplicarse y llenar la tierra. La tabla de las naciones, como es llamada está sección a veces, habla de la descendencia de Sem, Cam y Jafet, y de cómo sus familias se multiplicaron y llenaron la tierra. La familia de Jafet tuvo su centro en Asia menor (actual Turquía); la familia de Cam vivió en un amplia área que comprendía Egipto y sus alrededores; Sem es el padre de los pueblos semitas, que incluyen Israel. Este último es el padre de Eber, cuyo nombre puede estar relacionado con el sustantivo "hebreo". Si esto es verdad, debemos suponer que había un grupo más grande de Eber (hebreos), de los cuales los israelitas eran solo una parte.

Nota: esta lección no contempla *Lectio divina*.

Día 3: La torre de Babel (Gn 11:1-9)

Cuando los seres humanos fueron expulsados del jardín de Edén, se dirigieron hacia el Este del mismo (cf. 3:14). El cap. 11 comienza como si todos los eventos sucedidos desde la expulsión no hubieran tenido lugar, pues no encontramos a la gente emigrando hacia el Este, sino del Este: "Al desplazarse la humanidad desde oriente, encontraron una llanura en el país de Senaar y allí se establecieron" (Gn 11:2). La tabla de las naciones menciona que los diferentes pueblos se dispersaron, yendo a sus diferentes territorios y hablaban sus propias lenguas sin dar ninguna pista de que algo anduviera mal (cf. Gn 10:5.20.31.32), pero la historia de la torre de Babel cuenta una versión diferente de esta dispersión.

Babel es Babilonia y en las lenguas locales significa "Puerta de Dios", en otras palabras, se trata de la entrada al cielo. De hecho los babilonios aseguraban que sus zigurats, una especie de pirámide con un templo en la cima, tenían sus cimientos en el inframundo mientras que su cima tocaba el cielo.

Estas pretensiones son puestas en duda por la presente historia. A propósito de que su cima llegaba al cielo, el texto bíblico afirma que Dios tuvo que bajar para ver lo que los seres humanos estaban haciendo. ¡Tan baja era! (cf. Gn 11:5). Hay un juego de palabras simbólico: Babel es interpretada en este texto como "confusión" (hebreo *balal*) y suena parecido a *nabel* ("estar loco"). Según una historia sumeria, todo el mundo un día hablaría sumerio, pero el libro del Génesis afirma que Dios hizo que las gentes hablaran diversas lenguas para que no pudieran trabajar juntos en un proyecto malvado. Las ruinas de los zigurats y la multiplicidad de las lenguas eran para los israelitas un testimonio del juicio de Dios sobre el pecado humano.

Lectio divina

Dedica de 8 a 10 minutos a la contemplación silenciosa del siguiente pasaje.

El mensaje de Jesús toca todos los lugares del mundo y los pueblos que hablan diferentes lenguas comparten una fe común en Jesús. Así como la división vino como resultado de la construcción de la torre de Babel (el pecado engendra división), la unidad vendrá a través del don del Espíritu Santo dado a los fieles esparcidos por el mundo. Con Cristo no estamos ya separados ni alejados unos de otros, sino que somos uno.

✠ *¿Qué puedo aprender de este pasaje?*

Día 4: Descendientes de Sem hasta Abrán (Gn 11:10-26)

Leer "Nota sobre las genealogías y las leyes" en la "Introducción: Pentateuco", página 7. Puede ojear o saltar el texto bíblico en esta sección.

La genealogía de Sem une la protohistoria de Génesis 1-11 con las historias de los patriarcas de los capítulos 12-50. Como la genealogía anterior de Adán a través de Set, esta consta de diez generaciones y traza el linaje familiar de Sem hasta Abrán. Termina como la de Noé, dando los nombres de los tres hijos de Téraj. Esta vez las edades, aunque aún grandes para nuestros criterios, son sin embargo más cortas que las del cap. 5. Con esta genealogía termina la primera parte del Génesis y la historia principal está por empezar.

Una vez que la narración llega a Abrán, entramos de lleno a la historia de los ancestros de Israel. El autor repite los nombres de los hijos de Téraj como Abrán, Najor y Harán, el padre de Lot; pero luego se concentra en Abrán, dejando de lado a los otros dos (Harán murió en Ur y Najor no siguió a su padre). Cuando se menciona a Sara, el autor especifica que era estéril, preparando así el terreno para el desarrollo de la historia. Téraj, con su hijo, su nuera y su nieto salen hacia Canaán, pero cuando llegan a Jarán se establecen ahí y ahí muere Téraj.

Nota: esta lección no contempla *Lectio divina*.

Abrahán

GÉNESIS 11:27-25:18

Cayó Abrán rostro en tierra, y Dios le habló así: "Por mi parte esta es mi alianza contigo: serás padre de una muchedumbre de pueblos. No te llamarás más Abrán, sino que tu nombre será Abrahán, pues te he constituido padre de una muchedumbre de pueblos" (Gn 17:3-5)

Oración inicial (ver página 14)

Contexto

Parte 1: Génesis 11:27-18.15. Dios llama a Abrán. Le manda salir de su tierra y dejar a su parentela y, a cambio, le promete darle tierra, descendencia y hacer de él una bendición para todos los pueblos. Abrán obedece al Señor y se pone en camino y llega hasta el Negueb. Abrán con toda su familia tiene que bajar a Egipto a causa de una carestía. Abrán hace pasar a Saray por su hermana por miedo a que quieran matarlo para quedarse con ella. El Faraón toma a Saray en su casa y Dios lo castiga. El Faraón expulsa a Abrán de Egipto. Abrán y Lot se separan porque sus rebaños son demasiado grandes para estar juntos. Lot va hacia la zona del Mar Muerto y Abrán se queda en Canaán. El Señor le renueva la promesa a Abrán de darle la tierra y una descendencia numerosa como la arena de las playas. Abrán hace guerra a cinco reyes para liberar a Lot, al cual tenían como prisionero. Melquisedec bendice a Abrán. Dios hace una alianza con Abrán. Agar, la esclava de Saray, tiene un hijo de Abrán. Saray la maltrata por celos y Agar huye al desierto con su hijo. Un ángel le promete que sus descendientes serán numerosos y le manda regresar. Dios manda a Abrán que se circuncide y le cambia el nombre por Abrahán, renovándole la promesa una vez más. Dios promete un hijo a Abrahán.

Parte 2: Génesis 18:16-25:18. Dios revela a Abrahán que piensa castigar a Sodoma y Abrahán intercede por la ciudad. Dios no encuentra justos en la ciudad y la destruye, dejando escapar a Lot y a su familia. Las hijas de Lot emborrachan a su padre para tener relaciones con él y quedan embarazadas, dando así origen a dos de los pueblos vecinos de Israel: Moab y Amón. Abrahán presenta a Saray como su hermana ante Abimelek, rey de Guerar, que la toma para sí, poniéndose en riesgo de ser castigado. Dios se le aparece en sueño a Abimelek, que le perdona su falta porque fue por ignorancia. Abimelek llama la atención a Abrahán y le devuelve a Saray. Nace Isaac, hijo de Abrahán. Agar e Ismael son echados de la casa de Abrahán, pero Dios los salva en el desierto y le promete hacer de Ismael una gran nación. Abrahán y Abimelek hacen pacto de no agresión. Dios pide a Abrahán que sacrifique a su hijo Isaac y lo rescata en el último momento, dándole un carnero para que lo sustituya. Se enumera a los hijos de Najor, hermano de Abrahán. Entre su descendencia está Rebeca, hija de Betuel, hijo de Najor. Saray muere y es sepultada en Hebrón. Abrahán busca esposa para Isaac y encuentra a Rebeca, hija de su sobrino Betuel. Lista de los descendientes de Abrahán con Queturá. Abrahán muere y es sepultado en la cueva de Macpelá, al oriente de Mamré. Se dan los nombres de los descendientes de Ismael.

PARTE 1: ESTUDIO EN GRUPO (GN 11:27-18:15)

Vocación de Abrán y descenso a Egipto (Gn 11:27-12)

Una vez que la narración llega a Abrán, esta se convierte en la historia de los ancestros de Israel. El autor repite los nombres de los hijos de Téraj: Abrán, Najor y Harán, el padre de Lot, pero luego se concentra en Abrán, dejando de lado a los otros dos (Harán murió en Ur y Najor no siguió a su padre). Cuando se menciona a Saray, el autor especifica que era estéril, preparando así el terreno para el desarrollo de la historia. Téraj, con su hijo, su nuera y su nieto salen hacia Canaán, pero cuando llegan a Jarán, se establecen ahí y ahí muere Téraj.

Dios manda a Abrán salir de su tierra natal y de la casa de su padre para ir a la tierra que él le va a mostrar. Con esto da inicio la saga de Abrán. El abandono de su tierra y familia representa la ruptura de Abrán con su pasado y su transición del paganismo a la fe en el Dios uno. Abrán no escogió salir de su tierra ni tampoco el destino, pues Dios le dice que tiene que viajar a la tierra que él le mostrará. Parece que la bendición que Dios promete a Abrán depende de su disponibilidad de ir a Canaán. Dios también promete bendecir a los que bendigan a Abrán y maldecir a los que lo maldigan. Así como Dios había confundido las lenguas de los pueblos, esparciéndolos por toda la tierra, Dios ahora promete a Abrán que serán derramadas bendiciones sobre todas las familias de la tierra a través de él.

Abrán deja Harán cuando tenía setenta y cinco años, llevando consigo a su mujer Saray y a su sobrino Lot, y se dirige a la tierra de Canaán. Viajan a Siquem y luego a Betel, construyendo un altar en cada lugar. La dedicación de los altares puede simbolizar la reivindicación de la parte de Dios de los lugares sagrados y el viaje de Abrán a través de Canaán puede representar la reivindicación de la tierra para sus ancestros. De Betel, Abrán se dirige hacia la región del Negueb.

Una historia, que parece provenir del autor Yahvista de acuerdo con la teoría documentaria, interrumpe el viaje de Abrán hacia el Negueb. En ella, Abrán y Saray van a Egipto para evitar una carestía. Abrán, temiendo que los egipcios quieran matarlo para quedarse con Saray (de la que se menciona que era muy bella) le pide a ella que mienta diciendo que es su hermana. El texto hace ver que Abrán todavía no confía plenamente en que Dios lo bendecirá a él y a su descendencia, y trata de usar la astucia humana para evitar el peligro, aunque eso implique mentir. La Biblia nunca presenta a sus héroes como personas sin defectos, sino que los retrata como son. No debemos olvidar, además, que en una sociedad como la de los patriarcas, la única posibilidad de sobrevivir en medio de los poderes más grandes de la época era la astucia. Eso es lo que el texto trata de poner en evidencia.

Cuando el faraón nota la belleza de Saray, la lleva a su casa. Por un tiempo, Abrán prospera en Egipto porque el faraón piensa que Saray está bajo el cuidado de su hermano. Cuando el faraón y toda su casa son víctimas de grandes dolencias, llama a Abrán para reprenderlo por haberle mentido y lo expulsa de Egipto con su esposa y todas sus propiedades. La historia nos muestra que Dios cumple su promesa y no abandona la promesa que hizo a Abrán, aunque él con su astucia humana haya complicado las cosas.

La historia del engaño de Abrán y Saray aparecerá de nuevo en el cap. 20 y encontraremos una historia muy semejante referida a Jacob y su esposa Rebeca (cf. Gn 26:1-11). Estas repeticiones que encontramos en el Génesis no deberían sorprendernos, puesto que las historias fueron pasadas de generación en generación por largos períodos de tiempo, incluso siglos, antes de que fueran puestas por escrito. También hay una referencia sutil a un evento posterior en el Génesis, cuando la familia de Jacob tiene que emigrar a Egipto a causa de una carestía. Siglos más tarde, sus descendientes escaparán de Egipto después de que una serie de plagas afecten al faraón y a los egipcios (cf. Gn 45, 46 y Éx 14).

Separación de Abrán y Lot (Gn 13:1-14:24)

Abrán vuelve al Negueb, donde las bendiciones de Dios se vuelven visibles a través de las riquezas que Abrán acumula. Lot, el sobrino de Abrán, es parte del grupo y él también se enriquece. Al crecer los ganados de ambos, los pastores de Lot y Abrán comienzan a tener disputas, posiblemente a causa de las fuentes de agua, tan importantes para ellos, en especial en un lugar semidesértico como el Negueb. Para evitar un conflicto familiar y reconociendo que no pueden seguir juntos, Abrán y Lot deciden separarse. Abrán deja que Lot escoja el lugar a donde quiere ir. Lot escoge la llanura del Jordán, cerca de Sodoma, que el texto describe como fértil en aquel tiempo, poniendo así de relieve el castigo que Dios hará caer sobre la región por la maldad de sus habitantes.

Una vez que Lot se ha ido, Dios invita a Abrán a mirar la tierra en todas direcciones. De la misma manera que Abrán dejó a Lot que mirara toda la tierra alrededor para escoger a dónde quería ir, Dios hace levantar la mirada a Abrán para que vea toda la tierra que él le va a dar a sus descendientes, los cuales serán numerosos como la arena de las playas. Dios manda a Abrán que recorra la tierra a lo largo y ancho para tomar posesión de ella. Abrán se establece en Hebrón, en donde erige un altar al Señor. Con esto Abrán está cumpliendo el mandamiento del Señor de "ir a la tierra que yo te mostraré" (cf. Gn 12:1).

Génesis 14 es un capítulo difícil de explicar, pues no existe para confirmarlo documentación extra bíblica. Habla de batallas entre varios reyes. Cuatro reyes del Este se unieron para hacer la guerra y derrotaron a cinco reyes cananeos de la zona del mar Muerto, donde Lot se había establecido. Estos últimos habían estado sometidos a la coalición de reyes dirigida por Codorlahomer, rey de Elam. Cuando los reyes cananeos se rebelaron, los reyes de la coalición aplastaron la rebelión y capturaron a Lot y a su familia. Cuando Abrán se entera, junta a 318 hombres de su casa y sale en persecución de los reyes hasta Dan. En un ataque de noche los vence y los persigue hasta una ciudad al norte de Damasco llamada Joba. Ahí recuperó a Lot con todas sus posesiones y su familia.

A su regreso a Mambré, Melquisedec, rey de Salem (Jerusalén), lleva pan y vino, y bendice a Abrán. Este es el único lugar en que el libro del Génesis hace una conexión entre un patriarca y Jerusalén, y es la única referencia en toda la Torá a Jerusalén. Abrán ofrece a Melquisedec la décima de todo lo que tiene.

Alianza con Abrán (Gn 15)

Abrán no ganó nada personalmente por su intervención en favor de su sobrino Lot. Pasado un tiempo, Dios habla a Abrán en una visión animándole a no tener miedo porque él será su protector y la recompensa que le dará será grande. Abrán pregunta a Dios que de qué le sirve la recompensa si no tiene heredero y, según todas las apariencias, quien le va a heredar será Eliezer, uno de sus esclavos. Como respuesta, Dios le anuncia que tendrá un heredero, que será su propio hijo y para reafirmar esto, saca a Abrán de la tienda y le muestra el cielo diciéndole que su descendencia iba a ser más numerosa que la estrellas del cielo. Abrán creyó al Señor y él se lo acreditó como un acto de virtud.

Dios le ha prometido un heredero, así que Abrán se concentra ahora sobre la tierra: "¿cómo estaré seguro de que voy a heredar esta tierra?", pregunta al Señor. La respuesta de Dios es hacer una alianza con Abrán, que esencialmente es una solemne promesa garantizada por un signo extraordinario. Esto la hace muy diferente de otras alianzas que encontramos en el Pentateuco, en las que normalmente se requiere un compromiso tanto de parte de Dios como del ser humano. En este caso, lo único que se le pide a Abrán es que prepare cinco animales, usados comúnmente como víctimas de sacrificio, que los parta a la mitad y los ponga en dos filas. Abrán tiene que espantar a las aves de rapiña cuando se acercan, después se queda dormido y recibe la confirmación de que su descendencia heredará la tierra después de 400 años en tierra extranjera. Un horno y una antorcha encendida pasaron en medio de las víctimas. Parece que parte del rito de alianza en la antigüedad consistía en que las dos partes que establecían la alianza pasaban por en medio de las víctimas, simbolizando así que estaban dispuestos a que les sucediera lo que a los animales descuartizados, si no cumplían la alianza. Lo que es sorprendente aquí es que es solo Dios realiza el gesto.

Nacimiento de Ismael (Gn 16)

Cuando Saray cree que ya no podrá tener hijos recurre a un uso de la época, que era obtener un hijo por medio de su esclava. En la cultura del tiempo, la dueña de la esclava podía adoptar al hijo de la misma haciéndolo suyo. Otra vez vemos aquí una falta de confianza, esta vez de parte de Saray, en el cumplimiento de la promesa y la decisión de conseguir por medios propios lo que el Señor se había comprometido a dar. Saray da a su esclava Agar a Abrán para que le dé un hijo. Agar queda embarazada y comienza a despreciar a Saray, que se queja con Abrán. Abrán le dice que es su esclava y que puede hacer con ella lo que quiera. Saray la maltrata y Agar escapa. En el desierto la encuentra un ángel que le ordena regresar y le asegura que tendrá un hijo cuya descendencia será también tan numerosa que no se podrá contar. Le dice también que debe llamar al niño Ismael, que significa "Dios escucha", porque Dios ha escuchado su aflicción. Este texto pone de manifiesto que la bendición y promesa a Abrán se cumplirá, pues Ismael es también su hijo y, aunque no sea el heredero prometido, por ser hijo de Abrán recibirá también bendición. Sirve también para explicar la tradicional enemistad de Israel con los pueblos árabes vecinos, con los que sin embargo sabe tener un parentesco.

La circuncisión como señal de la Alianza (Gn 17)

El capítulo 17 nos presenta una nueva promesa y alianza de Dios con Abrán, pero esta vez con un enfoque diferente. Comienza con el mandato de parte de Dios: "anda en mi presencia y sé perfecto" (17:1). Implica también un cambio de nombre para Abrán y Saray, y la introducción del rito de la circuncisión, como signo de la Alianza. La circuncisión como tal ya era practicada por otros pueblos de tiempos antiguos, pero es en este momento cuando se vuelve para Israel signo de identidad.

El cambio de nombre en la Biblia suele indicar un cambio de vida y de misión. En este texto se da una etimología popular del nombre Abrán para explicar su cambio, pero los dos nombres Abrán y Abrahán significan lo mismo "el padre es exaltado o elevado" (así como Saray y Sara significan "princesa"). Los nuevos nombres son una afirmación de que Isaac nacerá y de que Abrahán, no solo se volverá una gran nación, sino padre de muchas naciones. La inminencia del nacimiento de Isaac será anunciada en el siguiente capítulo, pero el cumplimiento de la promesa a largo plazo de que Abrahán será padre de muchas naciones, depende de su obediencia.

En los vv. 3-8 se han estipulado las obligaciones de Dios para con la alianza; en el v. 9 se establecen las de Abrahán, que son presentadas en forma casi idéntica a la promesa de fidelidad por parte de Dios en el v.7: "Guarda, pues, mi alianza, tú y tu posteridad, de generación en generación" (cf. v.9), es decir, a Abrahán se le pide la misma fidelidad a la alianza que Dios se está comprometiendo a tener.

Cuando Dios anuncia a Abrahán que tendrá un hijo de Sara, el patriarca no puede evitar reírse porque se maravilla de que a la edad que tienen los dos puedan tener un hijo. Hay aquí un juego de palabras entre el verbo "se rió" (*yitzhaq*) y el nombre del hijo que le está por nacer, que se escribe de la misma manera. Incluso en su duda, Abrahán está confirmando inconscientemente con su acción la promesa de Dios.

Abrahán intercede para que Dios proteja a Ismael. Dios escucha su petición, pero le anuncia que la alianza existirá solo con el hijo que le dará Sara y sus descendientes. Le promete que hará de Ismael el padre de doce principados y que lo convertirá en un pueblo numeroso. El primer acto de obediencia de Abrahán sucede de forma inmediata: él y todos los varones de su casa son circuncidados. El segundo acto llegará más tarde, cuando se le pida que sacrifique a su hijo.

Preguntas de reflexión

1. ¿Por qué dio Sara a su esclava como concubina a su esposo?
2. ¿Por qué Dios pide un signo de la alianza solo a los varones?
3. ¿Cuál era el significado y valor de la hospitalidad en la antigüedad?

Oración final (ver página 15)

Rezar la oración final ahora o después de la *Lectio divina*.

Lectio divina (ver página 8)

Llamada de Abrahán y estancia en Egipto (Gn 12)

Dedica de 8 a 10 minutos a la contemplación silenciosa del siguiente pasaje:

Creemos que el Señor está con nosotros, pero hay ocasiones en que perdemos la confianza en su presencia y cometemos algún pecado para resolver nuestros problemas. Algunas veces podemos incluso decir en nuestros corazones: "Señor, confío en ti, pero no en esta situación". Lo bueno de Dios es que él no abandonó a Abrán cuando este mostró falta de confianza en él, que le había prometido que lo acompañaría siempre.

✠ *¿Qué puedo aprender de este pasaje?*

Separación de Abrán y Lot (Gn 13-14)

Dedica de 8 a 10 minutos a la contemplación silenciosa del siguiente pasaje:

Jesús nos enseña que debemos amar a nuestros prójimos como a nosotros mismos. La historia de Abrán y Lot nos ofrece luz sobre este punto. Ellos se amaban mutuamente, pero en su sabiduría se dan cuenta de que compartiendo la misma tierra y abrevaderos ponen en peligro su relación. Deciden entonces separarse. Amar al prójimo quiere decir que tenemos que aprender a ponernos límites a veces para mantener el respeto. Es algo esencial respetar tanto nuestros derechos como los de nuestros prójimos. Amar al prójimo requiere que tratemos de vivir en paz con quienes nos rodean , esto es, con nuestros hermanos y hermanas en Cristo.

✠ *¿Qué puedo aprender de este pasaje?*

Alianza con Abrán (Gn 15)

Dedica de 8 a 10 minutos a la contemplación silenciosa del siguiente pasaje:

Dios promete a Abrán que tendrá una descendencia más numerosa que las estrellas del cielo. Esto puede parecer un sinsentido para una pareja que es demasiado anciana como para tener hijos. El aspecto fundamental del Judaísmo y del Cristianismo es que Dios es Dios de la historia, un compañero durante el viaje de la vida para todos los creyentes. El Nuevo Testamento enseña que Jesús es nuestro compañero a través de la vida. Nosotros sellamos esa creencia por medio de la alianza del Bautismo. Mientras Cristo esté con nosotros, podemos esperar que suceda lo imposible, incluso cuando no somos conscientes de ello o cuando nos parece una tontería.

✠ *¿Qué puedo aprender de este pasaje?*

Nacimiento de Ismael (Gn 16)

Dios no abandona la descendencia de Agar, la esclava, sino que escribe recto con renglones torcidos y hace de su hijo el padre de una gran nación, aunque no sea el heredero de la promesa hacha a Abrán. Dios nos invita a seguir una senda durante el viaje de nuestra vida, pero a veces nosotros nos desviamos obligando a Dios, que nos ama, a abrir nuevos caminos para nosotros. Siendo cristianos nos damos cuenta de cuánto ha hecho Jesús para mostrarnos el amor de Dios. Creemos que Dios puede escribir recto en las líneas torcidas de nuestra vida.

✠ *¿Qué puedo aprender de este pasaje?*

La circuncisión como señal de la alianza (Gn 17)

Para nosotros los cristianos, el Bautismo ha tomado el lugar de la circuncisión como forma de comprometerse personalmente con la Nueva Alianza dada por medio de Jesucristo. La participación en el sacramento del Bautismo, sin vivir sus exigencias, demuestra que uno no ha entendido el Sacramento. De la misma manera, un judío varón que ha sido circuncidado y no ama a Dios, no está viviendo de acuerdo con la Alianza establecida entre Abrahán y Dios. Nuestra fe exige que veamos el sacramento del Bautismo, no simplemente como una limpieza del cuerpo, sino como una entrega del corazón.

✠ *¿Qué puedo aprender de este pasaje?*

PARTE 2: ESTUDIO INDIVIDUAL (GN 18:1-25:18)

Día 1: Los huéspedes de Abrahán (18:1-15)

En la antigüedad la hospitalidad era un deber sagrado, pues no existían ni la seguridad ni las posibilidades de descanso y reabastecimiento en los caminos que tenemos hoy en día. La hospitalidad exigía que una persona sacrificara lo que fuera necesario por un huésped. Abrahán da la bienvenida a tres huéspedes haciendo una inclinación y pidiéndoles que se queden, coman y beban. Hace que les traigan agua para que se laven los pies y que se sienten debajo de un árbol. Abrahán también hace preparar una comida que incluye hornear pan, matar y cocinar un ternero y ponerlo delante de los huéspedes junto con leche y requesón (parecido a nuestro yogurt). Como buen anfitrión, Abrahán no se sienta con ellos a comer con huéspedes, sino que estaba ahí para atenderlos.

Cuando los huéspedes preguntan por su esposa, él les dice que está en la tienda, que es el lugar donde una mujer debía permanecer cuando llegaban huéspedes. Uno de los tres predice que, cuando vuelvan al año siguiente, por el mismo tiempo, Abrahán y Sara tendrán un hijo. Dado que los dos son viejos, esta vez es Sara la que ríe pensando que van a tener relaciones sexuales y engendrar un hijo. El Señor pregunta a Abrahán por qué su esposa se ha reído y pregunta si hay algo demasiado milagroso como para que Dios no pueda hacerlo. Sara responde que ella no se ha reído, pero Dios responde: "Sí, lo has hecho".

Lectio divina

En el Evangelio de san Lucas encontramos un pasaje en que una mujer conocida como pecadora pública viene a la casa de un fariseo donde Jesús está cenando, baña sus pies con sus lágrimas, los seca con sus cabellos, los besa y los unge (Lc 7:36-50). Jesús le echa en cara al fariseo que lo invitó que no le dio agua para lavarse los pies cuando llegó, ni le dio el beso de bienvenida ni tampoco le ungió la cabeza con aceite. La mujer, que ellos juzgaban pecadora, mostró hospitalidad a Jesús mientras que el fariseo en realidad insultó a Jesús con su falta de hospitalidad. A causa de su hospitalidad, Jesús reconoce su gran amor y declara que sus muchos pecados están perdonados, mientras que el fariseo, que se ha demostrado falto de amor, no obtendrá el perdón de los suyos. En la primera carta de san Pedro leemos: "el amor cubre multitud pecados" (cf. 1 Pe 4:8). En este caso, el amor expresado a través de la hospitalidad de la mujer cubrió la multitud de sus pecados. Cuando Abrahán mostró hospitalidad a sus visitantes, ellos lo premiaron con la promesa de un hijo que nacería de Sara.

✠ *¿Qué puedo aprender de este pasaje?*

Día 2: Sodoma y Gomorra (18:16-19:29)

Mientras se alejan los tres hombres, Dios está considerando si decirle o no a Abrahán de lo que tiene planeado sobre Sodoma y Gomorra para castigar la maldad de esas ciudades. El señor decide confiárselo en razón de que ha escogido a Abrahán para hacerlo padre de un pueblo numeroso y potente, y bendecir a través de él a todas las naciones. Abrahán entiende inmediatamente cuál es el castigo preparado para Sodoma y Gomorra si son encontradas culpables y se vuelve "insolente" en la presencia de Dios. Comienza a negociar haciendo una serie de preguntas. Pregunta si el Señor destruiría la ciudad, si encontrara cincuenta, cuarenta y cinco, cuarenta y así sucesivamente hasta llegar a diez, personas justas. En cada caso el Señor promete perdonar a la ciudad si el número propuesto de justos se encuentra. Después de aceptar el número de diez personas justas como suficiente para perdonar a la ciudad, el Señor se va y Abrahán vuelve a casa.

Cuando los dos ángeles llegan a Sodoma, Lot, que se encuentra sentado a la puerta de la ciudad, se inclina ante ellos (sin reconocerlos como ángeles) y los invita a quedarse con él, dando un gran signo de hospitalidad. Parece que el Señor no es uno de los huéspedes, dado que el texto habla de dos, no de tres

---

ángeles. Según la costumbre, los ángeles declinan la primera invitación, diciendo que dormirán en la calle, entonces Lot insiste para que se queden con él y ellos aceptan. Lot les prepara un banquete y ellos cenan.

Antes de irse a dormir, todos los hombres de la ciudad rodean la casa pidiendo a gritos a Lot que les entregue a sus huéspedes para violarlos. La frase que se usa aquí es "para conocerlos"; el verbo "conocer" tiene con frecuencia en la Biblia una connotación sexual. Lot sale y cierra la puerta detrás de ellos, tratando de convencerlos de no llevar a cabo su plan e incluso ofreciéndoles a sus hijas. Recordemos que el deber de hospitalidad era sagrado y proteger a los huéspedes a toda costa era una de las obligaciones. La multitud ridiculiza a Lot, que siendo extranjero les quiere enseñar cómo comportarse y le amenazan con tratarlo peor que a los visitantes. La gente comenzó a empujar a Lot, tratando de echar abajo la puerta. Los huéspedes aprovecharon para jalarlo dentro de la casa y cerrar la puerta. Después, con una gran luz, dejaron ciegos a los hombres que estaban fuera.

Los ángeles explican su misión a Lot y le dan la oportunidad de que escape con su mujer, sus hijas y sus yernos, pero los yernos no lo toman en serio y no aceptan irse. Al amanecer los ángeles piden a Lot que se dé prisa y, como tardaba, lo tomaron de la mano a él, a su esposa y a sus hijas y los sacaron de la ciudad. Lot pide permiso para escapar a una pequeña ciudad cercana llamada Zoar, a la que le daría tiempo de llegar, en vez de tener que correr a las montañas. Cuando Lot había llegado ya a Zoar, Dios hizo llover azufre y fuego sobre Sodoma y Gomorra. La mujer de Lot miró hacia atrás y quedó convertida en estatua de sal. Esto es lo que los expertos llaman una "etiología", es decir, una explicación de alguna cosa, nombre o costumbre del presente basada en un supuesto hecho del pasado. En este caso, la gente veía columnas de sal cerca del Mar Muerto que parecían figuras humanas y las explicaron por medio de esta historia. Al mismo tiempo, esas columnas de sal servían de recordatorio de un principio fundamental: cómo la obediencia a Dios salva y la desobediencia lleva a la ruina. Lo mismo puede decirse del resto del relato: se trata de una explicación de por qué la zona del Mar Muerto es tan árida e inhóspita, pero al mismo tiempo es una catequesis sobre dos puntos: lo desagradables que son ante Dios las aberraciones sexuales y la importancia de amar y proteger al forastero huésped.

El autor vuelve a la historia de Abrahán y lo presenta como la razón por la cual Dios libra del castigo a Lot y su familia. Al día siguiente por la mañana fue al lugar donde había estado hablando con el Señor y ve el humo que sube desde toda la región donde estaban las dos ciudades. El autor afirma que "[Dios] se acordó de Abrahán y puso a Lot a salvo de la catástrofe" (Gn 19:29). De nuevo encontramos este "recordarse" de Dios que implica una acción salvadora, como en el caso de Noé.

Lectio divina

Dedica de 8 a 10 minutos a la contemplación silenciosa del siguiente pasaje:

Sorprendentemente, Abrahán nos da un ejemplo de oración cuando negocia con Dios, tratando de cambiar su decisión de destruir Sodoma y Gomorra. Muchas veces rezamos como si estuviéramos regateando a Dios: "Dios mío, si quieres puedes curar a tal o tal pariente, enfermo o un poco perdido". Dios escucha y toma en cuenta lo que pedimos, así como hizo con Abrahán. Al final, Dios siempre actúa con justicia y misericordia. Nunca dice "no", sino que dice "algo haré".

✠ *¿Qué puedo aprender de este pasaje?*

Día 3: El engaño de las hijas de Lot (Gn 19:30-38)

La siguiente historia es por lo menos extraña para nosotros como lectores modernos. Después de la destrucción de Sodoma y Gomorra, Lot huyó de Zoar a la montaña y se quedó a vivir en una cueva por miedo a quedarse en Zoar junto con sus hijas. Las hijas, pensando que no había hombres para casarse en toda la región, decidieron tener relaciones con él para que su descendencia continuara. Hay varias consideraciones que hacer en esta historia. La primera es que perder la propia descendencia significaba perder la posibilidad de sobrevivir, de ser recordado. En el mundo del Antiguo Testamento, en el que el concepto de inmortalidad no estaba tan especificado, la única forma que una persona tenía de perdurar era a través de una descendencia propia que llevara su nombre. En segundo lugar, la historia de las hijas de Lot es otra "etiología": trata de explicar el origen de dos pueblos, vistos como parientes de Israel, pero siempre enemigos, por lo cual se les califica de hijos nacidos de una relación prohibida. Para ello se recurre a dos etimologías populares. La primogénita de Lot da a luz a un hijo al que llama Moab, cuya pronunciación en hebreo tiene un sonido parecido a la frase "de mi padre". La hija menor da a luz a Ben-Amí, que en hebreo significa "hijo de mi pueblo" y que se parece a Ben-Amón, es decir amonita.

Nota: en este día no se prevé *Lectio divina*.

Día 4: Abrahán y Abimélec (20:1-18)

Como nómada que tiene rebaños necesitados siempre de pastizales, Abrahán se ve forzado a ir hacia Gerar, en el Negueb. Abrahán tiene miedo de ser asesinado por alguien que quiera quedarse con su esposa. Esta historia se hace eco de un relato anterior (cf. Gn 12:10-20) en el que Abrahán instruye a Sara para que diga que es su hermana. La semejanza de estas historias lleva a concluir que los relatos de las andanzas de Abrahán fueron transmitidos oralmente y que esta es una historia pasada conservada a través de diferentes tradiciones e introducida aquí por un autor posterior. Dicho autor no menciona la edad de Abrahán y Sara, pero es poco probable que tengan más de 90 años, como se ha dicho en el episodio anterior.

Hay dos puntos especialmente interesantes en este episodio. En primer lugar, aquí aparece la única vez en que Abrahán es llamado profeta en el Pentateuco y es calificado como tal porque él rezará por Abimélec para que conserve la vida (Gn 20:7) y su oración será eficaz (Gn 20:18). En segundo lugar, el texto constata que YHWH es conocido y respetado fuera del círculo de Abrahán. Abimélec, en cierto sentido, parece temerlo más que el mismo Abrahán. Una vez más, vemos que la Biblia no presenta a sus grandes héroes como personas perfectas, sin defectos, sino que refiere también sus faltas y debilidades. Lo que sobresale en todo esto es la fidelidad de Dios a su promesa y cómo va guiando la historia para que se cumpla.

Lectio divina

Dedica de 8 a 10 minutos a la contemplación silenciosa del siguiente pasaje:

El engaño de las hijas de Lot dio lugar al nacimiento de los enemigos de Israel que se volverán con el tiempo una espina que los incomodará. El engaño de Abrahán casi lleva a la destrucción de un hombre inocente y su familia. Jesús enseña a sus discípulos a ser "prudentes como serpientes y sencillos como las palomas" (Mt 10:16), pero no les enseña a ser falsos o mentirosos. La prudencia no es falsedad pecaminosa.

✠ *¿Qué puedo aprender de este pasaje?*

Día 5: Nacimiento de Isaac y Alianza en Berseba (Gn 21)

Cuando Abrahán hospedó a los ángeles, uno de ellos le aseguró: "Volveré sin falta a ti pasado el tiempo de un embarazo, y para entonces tu mujer Sara tendrá un hijo" (Gn 18:10). En el tiempo establecido Isaac nace. Abrahán circuncida al niño cuando cumple ocho días. Cuando Sara ve que el hijo de Agar se burla de Isaac, le pide a Abrahán que la eche a ella y a su hijo. Esta es la segunda vez que Sara expulsa a Agar y a su hijo. Dado que Ismael es también su hijo, a Abrahán le dolió la petición de Sara, pero el Señor le dice que no se preocupe, que él hará que de Ismael salga una gran nación, pero que su propia descendencia vendrá por medio de Isaac.

Al día siguiente Abrahán los despidió, dándoles pan y agua. Ellos caminaron hasta que se les acabó el agua y se sentaron esperando la muerte. El muchacho comenzó a llorar y Dios oyó el llanto, y repite la predicción de que Ismael se volverá una gran nación.

Este capítulo tiene dos partes: la primera vv. 1-8 relata el nacimiento de Isaac y las palabras de Sara, su madre. No se pone el acento en el cumplimiento de la promesa, sino que el énfasis principal está en la segunda parte (vv. 9-21), donde quedan definidos los destinos de Ismael e Isaac. Se trata de responder siempre a la pregunta ¿quién será el heredero de Abrahán, en quien recaerá a promesa de YHWH? Dado que Sara y Abrahán habían querido encontrar una solución por su parte engendrando a Ismael, era lógico preguntarse, ¿quién es el heredero? La respuesta es: Isaac. Una vez más, parece que son las decisiones humanas las que guían la historia (Sara que expulsa a Agar e Ismael, excluyendo a este de la herencia), pero lo que dice el autor es que Dios está conduciendo los hilos de la historia.

Nota: en este día no se prevé *Lectio divina*.

Día 6: Alianza en Berseba (Gn 21:22-34)

Abimélec aparece de nuevo y este episodio es de alguna manera continuación del que encontramos en el cap. 20. El saludo de Abimélec a Abrahán "Dios está contigo en todo lo que haces" revela que reconoce la prosperidad de Abrahán. Algunos autores sugieren que Abimélec estaba ya presente en la fiesta del destete de Isaac (21:8) y la frase introductoria se entendería muy bien en ese contexto. La promesa se está ya cumpliendo. Quizá por esto también Abimélec quiere una seguridad de que en el futuro, cuando sea más poderoso, Abrahán respetará sus derechos.

Abimélec hace una alianza con Abrahán, pero este último es el único que presenta dones. En el antiguo Oriente, cuando las alianzas eran entre dos socios iguales, se intercambiaban dones; cuando una de las partes era inferior, era la única en ofrecer dones. La alianza y sobre todo el acuerdo específico que concede a Abrahán los derechos sobre el pozo son importantes, pues le permiten vivir ahí permanentemente. Poco a poco la promesa de la tierra se está también cumpliendo.

Lectio divina

Dedica de 8 a 10 minutos a la contemplación silenciosa del siguiente pasaje:

La celebración eucarística recibe pecadores con la esperanza de que la gracia de Dios toque sus corazones y los lleve la conversión. Durante la liturgia, Jesús recibe santos y pecadores para que se unan a él en el banquete y Jesús, el novio, celebra con nosotros.

✠ *¿Qué puedo aprender de este pasaje?*

Día 7: Abrahán es puesto a prueba (Gn 22:1-19)

Este es el acto de obediencia más doloroso que Dio pide a Abrahán. En primer lugar porque se trata de su propio hijo, al que el texto subraya, "al que tanto ama", pero además porque siendo el heredero de la promesa, parecería como si Dios le estuviera pidiendo que renunciara a ella.

Abrahán es enviado a la región de Moria, a uno de los montes que Dios le indicará. Moria es identificado con Jerusalén por 2 Crónicas 2:1. Como para indicar que no hay palabras que puedan expresar los sentimientos de Abrahán, sus acciones son contadas con los mínimos detalles. La misma conversación con Isaac es mínima. Solo cuando Isaac está ya atado, indefenso sobre el altar, y Abrahán está a punto de degollarlo, el ángel del Señor interviene para detenerlo. Abrahán descubre un carnero enredado en un arbusto y lo sacrifica. Inmediatamente después Dios reafirma sus promesas, pero esta vez con un solemne juramento divino. Dios jura que dará a Abrahán bendición, descendientes, tierra y para coronar todo "por tu descendencia se bendecirán todas las naciones de la tierra, en pago de haber obedecido tú mi voz" (22:18). Las promesas hechas en el capítulo 12 se han vuelto garantías, gracias a la obediencia fiel de Abrahán.

En algunos pueblos del antiguo Medio Oriente existían los sacrificios humanos. En el mismo Israel encontramos algunos casos como el de Jefté que sacrifica a su hija (Jue 11:39) y el del rey Manasés, a sus hijos (2 Cró 33:6), pero el libro del Levítico (18:21) prohíbe severamente esta práctica. Este texto puede entenderse como un rechazo a esta práctica: incluso cuando parece que Dios le está pidiendo este sacrificio a Abrahán, en realidad a Dios no le agrada; lo que quiere es obediencia. ———

Desde la antigüedad se ha visto a Isaac como tipo (imagen) de Cristo, pues como él, es llevado al altar sacrificial y no se revela, sino que incluso carga con el instrumento de su muerte.

Lectio divina

Dedica de 8 a 10 minutos a la contemplación silenciosa del siguiente pasaje:

Abrahán amaba y confiaba en Dios hasta el punto de que estaba dispuesto a sacrificar al hijo que le había nacido de Sara. Haciendo esto, Abrahán e Isaac se convierten en modelo de algo que sucederá después. Leemos en el Evangelio de san Juan que "tanto amó Dios al mundo que dio a su Hijo unigénito, para que todo el que crea en él no perezca, sino que tenga vida eterna" (Jn 3:16). Al final, Dios proporciona un carnero para reemplazar al hijo de Abrahán, pero cuando Jesús fue sacrificado, él sufrió la cruz sin nadie que lo sustituyera. Su muerte revela cuánto nos ama Dios.

✠ *¿Qué puedo aprender de este pasaje?*

Día 8: Isaac y Rebeca (23:1-25:18)

Sara muere a la edad de 127 años y Abrahán entra en tratos con los hititas para comprar la cueva de Macpelá para sepultarla. El texto nos narra el diálogo que se desarrolla y que está lleno de la cortesía y derecho oriental de la época. La compraventa se realiza en la puerta de la ciudad (23:10), que es el lugar donde se llevan a cabo todas las decisiones oficiales y donde se reúne el consejo de los ancianos. Los hititas le ofrecen al inicio a Abrahán que pueda enterrar a Sara en la tumba de familia de cualquiera de ellos. Esto parece ser una cortesía, pero en realidad pone de relieve que Abrahán es un extranjero que no puede adquirir tierra y posiblemente con este gesto tratan de evitar vendérsela. Abrahán contraataca usando como anzuelo la buena voluntad expresada por los hititas y pide que intercedan por él con Efrón el dueño del terreno. Más que intercesión se trata de una autorización para poder comprar la tierra. Efrón se la ofrece regalada, pero esto es una forma típica de cortesía oriental, que Abrahán entiende bien e insiste en pagar el precio de la cueva. Este pasaje es importante porque por primera vez, Abrahán entra en posesión de parte de la tierra que el Señor le ha prometido.

La historia de Abrahán está llegando a su final. Ha tenido ya al hijo que heredará la promesa y su esposa ha muerto, solo le queda asegurar para Isaac una mujer que garantice la continuidad de la estirpe. Eso es lo que narra el capítulo

24. Se trata de un relato largo y minucioso que da el sabor de cómo gustaban los orientales de contar sus historias. Algunos puntos llaman la atención: Abrahán prohíbe al siervo que va a buscar a su futura nuera que la escoja entre los cananeos o que vuelva a Ur con Isaac. El matrimonio endogámico (entre miembros de la misma tribu o grupos emparentados) era una costumbre corriente en Israel, en primer lugar para preservar la posesión de la tierra dentro de la propia tribu y además para evitar la contaminación religiosa. Al pedir esto, Abrahán está buscando ser fiel a la promesa.

El texto es también un buen ejemplo del modo como se negociaban los matrimonios en Israel en la antigüedad. Desde el punto de vista religioso, quiere mostrar cómo Dios es el que guía la historia de Abrahán, lo bendice y hace prosperar cada una de sus acciones.

Lectio divina

Dedica de 8 a 10 minutos a la contemplación silenciosa del siguiente pasaje:

> En nuestra sociedad con frecuencia no nos damos cuenta de las muchas formas en que Dios actúa en medio de nosotros. Al contrario de lo que hace el siervo de Abrahán, que vio claramente la mano de Dios en la elección de Rebeca, nosotros no solemos ver con tanta claridad la mano de Dios actuando. Un conocido dicho reza: "A Dios rogando y con el mazo dando": hay que rezar como si todo dependiera de Dios y trabajar como si todo dependiera de nosotros. Dios trabaja con nosotros, no en lugar de nosotros.

✠ *¿Qué puedo aprender de este pasaje?*

Preguntas de reflexión

1. ¿Cuál es la importancia de la destrucción de Sodoma y Gomorra?
2. ¿Por qué Abrahán tiene que mentir diciendo que Sara es su hermana?
3. ¿Por qué la historia de Isaac es la más corta de las que encontramos en el Pentateuco?

Jacob y Esaú

GÉNESIS 25:19-37:1

*Dijo el otro: "¿Cuál es tu nombre?" –"Jacob"–. "En adelante
no te llamarás Jacob, sino Israel porque has sido fuerte contra
Dios y contra los hombres, y los has vencido" (Gn 32:28-29)*

Oración inicial (ver página 14)

Contexto

Parte 1: Génesis 25:19-30:24. Le nacen dos hijos a Isaac: Jacob y Esaú. Ya desde el vientre de su madre se preanuncia la relación conflictiva que tendrán. Esaú vende sus derechos de primogenitura a Jacob por un plato de lentejas. Isaac, como su padre Abrahán, tiene que viajar a la tierra de Abimélec y presenta a Rebeca como su hermana. Cuando Isaac es viejo y ya no puede ver, es engañado por Jacob, con la ayuda de Rebeca, para que lo bendiga. Rebeca aconseja a Jacob que huya, sabiendo que Esaú tiene intenciones de matarlo a la muerte de su padre y convence a Isaac para que mande a Jacob con su hermano, Labán, para que encuentre esposa allá. Jacob se detiene en el camino y ve en sueños una escalera que llega al cielo y ángeles que suben y bajan por ella. El Señor le promete que estará con él y heredará la promesa hecha a Abrahán.

Parte 2: Génesis 30:25-37:1. Jacob ama a Raquel, hija de Labán, y acepta trabajar para él por siete años a cambio de la mano de Raquel. Los siete años pasan y Labán engaña a Jacob, sustituyendo a Raquel por su otra hija Lía. Jacob le reclama a Labán, que se compromete a darle a Raquel por otros siete años de trabajo. Una vez casado con Raquel, esta no puede tener hijos y le da a su esclava para que se los dé. Lía tiene dos hijos, pero cuando ya no puede tener más, le da también a su esclava para que le dé más hijos. Al final, Jacob tiene doce hijos y algunas hijas no mencionadas por nombre. El autor menciona a su hija Dina, que será violada más tarde. Jacob escapa de la casa de Labán, llevándose a sus mujeres, hijos y rebaños, pero Labán lo alcanza y establecen un pacto entre ellos. Antes de encontrarse con Esaú, Jacob manda por delante mensajeros para apaciguar a su hermano. La noche antes de encontrarse con él, Jacob lucha toda la noche con un ángel que le cambia el nombre a Israel. Jacob y Esaú se encuentran amigablemente.

PARTE 1: ESTUDIO EN GRUPO (GN 25:19-30:24)

Lee en voz alta Génesis 25:19-30:24

Nacimiento de Esaú y Jacob (Gn 25:19-34)

Esta sección se abre con la octava repetición de la fórmula "Esta es la historia familiar de Isaac".

En el relato de la descendencia de Isaac tenemos otra vez el tema de la esterilidad de Rebeca que amenaza el cumplimiento de la promesa. La insistencia en la esterilidad pone de relieve la providencia de Dios.

La historia de los dos hijos, que ya desde el vientre de su madre pelean, es una vez más un intento de explicar las relaciones siempre conflictivas entre Israel (descendencia de Jacob) y Edom (descendencia de Esaú), que se saben hermanos, pero al mismo tiempo enemigos.

El nombre dado a los niños es también etiológico: el primero en nacer era pelirrojo y velludo, y lo llamaron Esaú, otra manera de llamar a Edom (en hebreo *Edom* significa "rojo", cf. 25:30), que es también el nombre del territorio al sur de Moab donde vivían los descendientes de Esaú. El color rojizo de la arena llevó a llamarlo el país rojo. "Velludo" (hebreo *sear*) es también una referencia a Seir, otro nombre de Edom (cf. Gn 36:8). El segundo aparece aferrando a Esaú por el talón (hebreo *baaqueb*), así que lo llaman Jacob (hebreo *Yaaqob*).

Abrahán tenía sesenta años cuando nacieron sus hijos, si recordamos que se casó a los cuarenta, eso nos hace ver que la respuesta a sus oraciones no fue inmediata. También tuvo que esperar.

Las diferencias entre los dos se volvieron más evidentes al crecer. Esaú se volvió cazador y gozaba de la predilección de Isaac, mientras que Jacob prefería quedarse en el campamento y era el consentido de Rebeca. Un día, en que Jacob estaba cocinando, Esaú regresa muy cansado del campo y le dice literalmente "déjame tragar de la cosa roja, de esa cosa roja". Esaú está agotado y se deja llevar por sus instintos, no le importa nada, lo único que quiere es comer. Por otro lado, Jacob, fría y calculadoramente le dice "véndeme ahora mismo tus derechos de primogenitura", hay que notar que ni siquiera se preocupa por usar una forma de cortesía. Por su parte Esaú no aprecia para nada su primogenitura, prefiere saciarse. En la antigüedad la sucesión y herencia se decidía por orden de nacimiento. El primer nacido (primogénito) tenía derecho a heredar la mayor parte de las posesiones del padre. Este proceso no era, sin embargo, automático, el padre de familia podía decidir pasarle a otro hijo los derechos de primogenitura si lo consideraba más apto para sucederle.

El engaño de Jacob (Gn 27:1-41)

Este largo relato se puede dividir en tres partes. La primera (vv. 1-17) presenta el complot de Jacob y Rebeca para obtener por engaño la bendición de Isaac. La segunda (vv. 18-29) es la ejecución del plan y la bendición pronunciada por Isaac sobre Jacob. La última parte (vv. 30-41) consiste en la reacción de Isaac y Esaú al descubrir el engaño.

Los vv. 1-26 se caracterizan por un diálogo vívido entre Jacob y su madre, y una descripción detallada de los preparativos para engañar a Isaac. Resalta la gran influencia de Rebeca que está dispuesta a engañar a su marido para favorecer a su hijo preferido. En toda la escena es ella la que realiza la mayor parte de las acciones y diálogo. Es también digno de notar que Jacob no se inquieta tanto por la mentira y el engaño que están preparando, sino por el miedo a que su padre lo descubra. El texto no oculta los defectos de los protagonistas, pero trata de mostrar cómo a pesar de la forma pecaminosa como fue obtenida la bendición, Dios va escribiendo la historia. Más tarde, Jacob, el engañador, sufrirá la misma suerte siendo engañado por Labán.

La ejecución del plan (vv. 18-29) consiste primariamente en un denso diálogo entre Isaac, que no está seguro de la identidad del hijo que está delante de él, y Jacob que reafirma repetidamente su mentira. La bendición de Isaac (vv. 18-29) no contiene ninguna referencia a las promesas hechas a Abrahán. Se trata más bien del anuncio de una prosperidad material relacionada con todo lo necesario para la subsistencia –alimentos– y con la seguridad personal y de grupo.

La tercera escena (vv. 30-41) está llena de un dramatismo conmovedor como ninguna otra en el Génesis. El diálogo está lleno de sentimiento y, a diferencia de la mayoría de la narrativa del Antiguo Testamento, las intensas emociones de los actores se describen ampliamente: "A Isaac le entró un temblor fuerte" (Gn 27:33). Su finalidad es más que dramática; subraya un hecho presente en la mentalidad del tiempo de que, aunque la forma de obtener le bendición fue engañosa, la bendición dada no se puede retirar. Esaú hace un doble juego de palabras con el nombre de su hermano (hebreo *Yaaqob*) y el verbo "me ha suplantado" (hebreo *wayaqbeni*) y con derecho de primogenitura (hebreo *bekorati*) y bendición (hebreo *birkati*). Esaú pregunta a su padre si no le queda una bendición también para él. Las frases que Isaac pronuncia suenan más como una anti-bendición, lo contrario de lo que ha dicho a Jacob y reflejan las características de Edom: vivirá en una región árida y a lo largo del Antiguo Testamento aparecerá como un pueblo guerrero, enemigo de Israel. Esaú se retira tramando asesinar a su hermano a la muerte de su padre.

Jacob es enviado a Labán (Gn 27:42-28:9)

Esta sección consta de cuatro escenas. Rebeca convence a Jacob de que huya (27:42-45); Rebeca manipula a Isaac para que mande a Jacob (27:46); Isaac manda a Jacob a Padán-Aram (28:1-5) y Esaú se casa de nuevo (28:6-9).

Aparece de nuevo Rebeca que, habiéndose enterado de las intenciones de Esaú, convence a Jacob para huir a casa de su hermano Labán y manipula a Isaac para que lo mande allá. De hecho, cuando Rebeca habla con Isaac, no le menciona su temor de que Esaú mate a Jacob, sino que usa el argumento de las mujeres hititas de Esaú (que tantos problemas les han causado, cf. Gn 26:35) para convencerlo.

Isaac manda a Jacob que se vaya con su tío y que no se case con mujeres cananeas, sino con las hijas de su tío. Se tratará posiblemente de una reacción a la mala experiencia con las mujeres de Esaú, pero es sobre todo una forma de preservar la promesa en la propia familia. Es ahora cuando Isaac le da a Jacob la bendición que habríamos esperado en 27:27-29. En ella pide que Dios le conceda le bendición de Abrahán para que posea la tierra.

Cuando Esaú oyó que su padre había bendecido a Jacob y le había prohibido que se casara con mujeres cananeas, decidió casarse precisamente con una de ellas, una hija de Ismael. Por Génesis 25:17 sabemos que Ismael había muerto, por lo que aquí el nombre se refiere posiblemente a la tribu de Ismael.

Esaú parece cometer un error detrás de otro: se casa fuera del linaje familiar, vende la primogenitura y se vuelve a casar conscientemente esta vez, con una mujer que no pertenece a su familia.

El sueño de Jacob en Betel (Gn 28:10-22)

Jacob parte para Harán. Su madre le había indicado que huyera a Harán y su padre "vete a Padán-Aram". Los dos lugares están en el mismo territorio, pero quizá se prefiere usar Jarán aquí porque es el lugar desde donde Abrahán salió para obedecer al Señor (Gn 12:4). Jacob no se da cuenta inmediatamente de la santidad del lugar en el que se ha quedado a dormir, aunque era un santuario desde los días de Abrahán (12:7).

Jacob ve en sueños una escalera o rampa que tiene su base en la tierra y llega hasta el cielo con ángeles que suben y bajan. Algunas traducciones usan la palabra "escalera", pero rampa parece más apropiada, pues algunos comentaristas piensan que el autor tiene en mente una rampa como las de los zigurats babilonios. La rampa indica la conexión entre el cielo y la tierra. Jacob vio también al Señor a su lado, que se presentó como "el Dios de Abrahán tu padre y de Isaac", y le dijo que a él y sus descendientes daría la tierra en la que estaba acostado. Le prometió que estaría con él y lo protegería a dondequiera que fuera, le daría descendencia numerosa, todas las naciones de la tierra serían bendecidas en él y lo traería de vuelta a su tierra. En el fondo, Dios se revela como el mismo Dios de Abrahán y, aún más, confirma a Jacob como el heredero escogido. Esta promesa es importante aquí porque a Abrahán Dios se la hizo cuando se estaba dirigiendo a la tierra, a Jacob se la hace cuando está huyendo de la misma.

Cuando se despierta, Jacob declara "¡Así pues, está Yahvé en este lugar y yo no lo sabía!". Declara sagrado el lugar y lo denomina "casa de Dios" (hebreo *Bethel*) y "puerta del cielo". Después toma la piedra que se había puesto a la cabecera, la pone de pie y la consagra derramando aceite. En el antiguo oriente era frecuente poner "estelas" o piedras en forma de pilar, para indicar el lugar donde había sucedido un evento importante, como una victoria militar, un pacto o una manifestación divina. En tiempos posteriores, la legislación deuteronómica ordenará destruir las piedras conmemorativas que estuvieran relacionadas con prácticas religiosas cananeas (cf. Gn 12:8; 13:3; 1Re 12:29; Am 7:13). Por este motivo, muchos autores piensan que este es un texto antiguo.

Jacob, sus mujeres y sus hijos (Gn 29:1-30:24)

Génesis 29 a 30 nos presentan la llegada de Jacob al campamento de Labán y sus relaciones con él, así como el matrimonio con sus dos hijas. Este relato constituye la parte central de la historia de Jacob, que va del capítulo 25 al 35 y está organizado en forma circular:

29:1-14	Llegada de Jacob e ingreso en la familia de Labán
29:15-30	Engaño de Labán, que hace trabajar a Jacob 14 años por sus dos hijas
29:31-35	Nacimiento de los hijos de Jacob, antepasados de las 12 tribus
30:25-43	Engaño de Jacob a Labán con las ovejas y cabras
31:1-32:1	Salida de Jacob con sus mujeres e hijos

En el centro está la parte más importante de la historia: el nacimiento de los hijos de Jacob, que serán los ancestros de las doce tribus.

La primera escena (vv. 1-14) presenta una típica escena de desposorios junto a un pozo, como tenemos en otros textos (cf. Gn 24, Isaac; Éx 2:15-21, Moisés) en la que el patriarca viaja a tierra extranjera, encuentra a su futura esposa junto a un pozo y da de beber al rebaño. El autor insiste en varios detalles, como por ejemplo, el tamaño de la piedra y la necesidad de que todos los pastores estuvieran reunidos para moverla. Con ello pone de relieve la fuerza de Jacob.

Un punto importante a notar es que Jacob, el engañador de su hermano mayor, a quien quitó la primogenitura, es aquí engañado precisamente usando el criterio de la precedencia de edad: Labán dice que no puede darle como esposa a la hija menor antes que a la mayor. Dios escribe derecho con renglones torcidos, pero eso no quiere decir que uno no pague las consecuencias de sus propias acciones.

Los celos y envidia de las dos mujeres de Jacob parecen ser los que guían los eventos de la narración. Ninguna de las dos quiere ser menos ante su esposo para ganar su atención y cariño. Recurren, como ya había hecho Sara, a su propia "solución" de dar sus esclavas a Jacob para tener más hijos a través de ellas, sin esperar la intervención divina. La expresión "dar a luz en mis rodillas" (cf. Gn 30:3) indica el rito por el cual se realizaba una adopción válida. En medio de todo esto, el autor sagrado ve la mano de Dios que va guiando la historia para que vengan a la existencia los ancestros de las doce tribus de Israel.

La única niña mencionada es Dina. Es posible que Jacob tuviera más hijas, pero aquí es ella la única mencionada para preparar así la narración del capítulo 34.

La familia de Abrahán ve la mano de Dios en cada momento de la vida. El autor nos dice que cuando Dios vio que Lía no era amada, la hizo fecunda, mientras que Raquel seguía estéril (Gn 29:31). Los nombres que las madres dan a sus hijos son expresiones muy emotivas de su situación personal y expresan sus anhelos. Dichos nombres reflejan el tema de la rivalidad entre hermanas presente en el texto: el ansia de Lía de ser amada y el anhelo de Raquel por tener hijos.

Preguntas de reflexión

1. ¿Por qué permite Dios que sucedan engaños como el de Jacob?
2. ¿Cuál es tu impresión de Esaú?
3. ¿Por qué quiere Isaac que Jacob se case con alguien de su propio clan?

Oración final (ver página 15)

Lectio divina (ver página 8)

Nacimiento de Esaú y Jacob (Gn 25:19-34)

Dedica de 8 a 10 minutos a la contemplación silenciosa del siguiente pasaje: Abrahán tuvo sus luchas y miedos, y ahora Isaac tiene los suyos. Los cristianos saben que Jesús nunca prometió a sus seguidores que tendrían una vida fácil. Más bien les dijo: "Si a mí me han perseguido, también los perseguirán a ustedes" (Jn 15:20). En el Evangelio de san Marcos, se dice que quienes quieran ir detrás de él deben tomar su cruz y seguirlo (8:34). Vivir cerca de Dios trae mucha alegría a la propia vida, pero también nos desafía a que permanezcamos fieles cuando aparecen las dificultades o la desilusión.

✠ *¿Qué puedo aprender de este pasaje?*

El engaño de Jacob (Gn 27:1-41)

En la tradición judía le bendición del propio padre era mucho más que buenos deseos. Se trataba de la creencia de que el espíritu del padre pasaba de algún modo al hijo. Jacob fue escogido por Dios para preservar y transmitir el patrimonio y tradiciones de Abrahán y Sara. En el Nuevo Testamento Jesús dice a sus discípulos: "No me han elegido ustedes a mí, sino que yo los he elegido a ustedes..." (Jn 15:16). Todo cristiano bautizado es el elegido, el llamado preservar y transmitir el patrimonio y tradiciones de Cristo.

✠ *¿Qué puedo aprender de este pasaje?*

Jacob es enviado a Labán (Gn 27:42-28:9)

Aunque la descendencia de Abrahán vivía entre paganos, necesitaba el apoyo de sus parientes para poder permanecer fiel al único Dios verdadero. Apoyo y ejemplo tienen un efecto muy positivo en nuestras vidas. Así como Jacob tuvo que buscar el apoyo de sus familiares, también los cristianos necesitamos el apoyo de nuestros hermanos en la fe. Estamos llamados a aprender y a ser ejemplo los unos de los otros. Pertenecemos a la familia de Cristo.

✠ *¿Qué puedo aprender de este pasaje?*

El sueño de Jacob en Betel (Gn 28:10-22)

Jacob está escapando de la tierra que le ha sido prometida en herencia. Se dirige a una región que no conoce, esperando encontrar protección y un futuro seguro. A mitad de camino se acuesta rendido en el campo y tiene la visión de una escala o rampa que llega hasta el cielo y por la cual suben y bajan los ángeles de Dios. Los ángeles le dicen que no está solo, que en todo su peregrinar, el Señor lo acompaña. Existe una comunicación entre el cielo y la tierra. Dios no es un creador que se desentiende de sus criaturas; al contrario, está siempre pendiente de ellas. Incluso cuando el hombre ha querido desterrarlo, él ha mantenido siempre una "escalera" para mantener la comunicación. Dios está con nosotros cada día de nuestra vida.

✠ *¿Qué puedo aprender de este pasaje?*

Jacob, sus mujeres y sus hijos (Gn 29:1-30:24)

Las tribus de Israel vienen a la existencia bajo la guía de Dios, pero traen consigo también las virtudes y defectos de la naturaleza humana. Los engaños de Jacob y Labán, y los celos de las mujeres de Jacob llevan al nacimiento de doce hijos. La narración nos dice que Dios aún se preocupa por la creación. Dios está siempre presente de alguna manera como compañero y guía.

✠ *¿Qué puedo aprender de este pasaje?*

PARTE 2: ESTUDIO INDIVIDUAL (GN 30:25-37:1)

Día 1: Jacob y Labán en conflicto (Gn 30:25-32:3)

Esta sección puede dividirse en dos partes, la primera (Gn 30:25-31:1) describe el engaño de Jacob a Labán y la segunda (Gn 31:1-32:3) narra la partida de Jacob con sus mujeres y rebaños.

En la primera sección se nos narra cómo Jacob pide permiso a Labán para volver a su tierra. Labán se niega y Jacob aprovecha la ocasión para hacerle notar que se ha vuelto muy rico gracias a él. Labán le pregunta cómo le puede pagar. La petición de Jacob parece modesta a primera vista, pues en un rebaño de ovejas y cabras, las ovejas son en su mayoría blancas y las cabras de color café oscuro o negro. Ovejas y cabras multicolores son mucho más raras. Jacob sugiere que todos los animales multicolores sean su salario y que las ovejas de color blanco puro y las cabras oscuras sean de Labán. Este último, confiadamente, acepta el trato porque piensa que Jacob saldrá perdiendo.

Jacob, actuando por su parte de forma astuta, utiliza un truco para lograr tener más corderos negros y cabritos manchados. Esta historia está basada en la creencia popular de la época de que la concepción del animal era influenciada por lo que sus padres veían al momento de apareamiento.

Este texto en sí mismo, y como parte de la más amplia historia de los patriarcas, pone de relieve algunos puntos que eran muy importantes en la vida del pueblo de Israel: que los planes de Dios no se ven afectados por las trampas humanas, que al final siempre triunfa la justicia y que la promesa hecha por Dios a su pueblo –personificado aquí por Jacob– de tierra, descendencia y bendición se cumplirá a pesar de todos los obstáculos.

La segunda sección presenta a Jacob que toma la decisión de huir de Labán cuando los hijos de este lo acusan de quedarse con lo que pertenece a su padre y se da cuenta de que Labán ya no lo miraba con buenos ojos. La sección contiene siete escenas:

1. El Señor manda a Jacob que vuelva a casa (v. 3)
2. Jacob convence a sus mujeres de irse (vv. 4-16)
3. Salida (vv. 17-21)
4. Labán los persigue (vv. 22-24)
5. Confrontación entre Jacob y Labán (vv. 25-44) y alianza entre los dos (vv. 45-54)

6. Labán vuelve a casa (vv. 32:1)
7. Jacob se va y encuentra unos ángeles (32:2-3)

Cuando Jacob les propone a sus esposas irse y les da su versión de los hechos ocurridos entre él y Labán, ellas se lamentan de que su padre les haya robado también a ellas. Según la costumbre, una parte del precio que se pagaba por la esposa (la "dote") debía entregársele a ella como seguro en caso de que quedara viuda, pero en este caso, Labán se había quedado con todo.

Algunas acciones de Raquel se parecen mucho a las que llevaron a Jacob a casa de Labán. Ambos engañan a sus padres y huyen de su casa. Raquel engaña a Labán robando los ídolos familiares (en hebreo *terafim*), que representaban su bendición y herencia.

Cuando Labán alcanza a Jacob, le reclama como si fuera completamente inocente y le pregunta por qué le ha engañado y se ha llevado a sus hijas como prisioneras. Actuando como si fuera un padre y abuelo cariñoso, reprocha a Jacob que no le haya dejado ni siquiera besar a sus hijas y nietos.

Cuando Labán pregunta por qué le robó sus ídolos familiares, él lo niega. Las otras acusaciones eran sobre faltas de cortesía y educación; esta se refiere a un robo muy serio. Jacob, seguro de su inocencia, declara pena de muerte para el que los tenga, ¡sin saber que Raquel, su esposa favorita, es la culpable! De esta manera el autor aumenta la tensión dramática.

El encuentro culmina con un pacto entre Jacob y Labán. Es de notar el "ritual" de la celebración de la alianza: las piedras que amontonan como signo de testimonio perenne de los compromisos contraídos (v. 46); la enumeración de las cláusulas y compromisos (vv. 48-53); la ofrenda de un sacrificio y la participación de todos los presentes en una comida (v. 54). Este relato refleja los conflictos entre diferentes grupos étnicos de la época de los patriarcas y la necesidad de realizar pactos o alianzas para la sobrevivencia de los grupos. Estas alianzas generaban lazos tan fuertes como los de sangre, incluso al pactante principal se le llamaba "padre". Así podemos entender mejor la paternidad de Abrahán sobre Isaac y Jacob y la de Jacob sobre las "doce tribus".

Lectio divina

Dedica de 8 a 10 minutos a la contemplación silenciosa del siguiente pasaje:

Labán se ha estado aprovechando de Jacob y de sus mujeres; sin embargo él mismo se ve como víctima, preguntando a Jacob por qué lo ha engañado. Esta historia muestra la incapacidad de Labán de ver sus propias faltas.

Eso sí, ve las de Jacob contra él como algo imperdonable. Jesús, conociendo la naturaleza humana, dijo ¿cómo es que miras la astilla que hay en el ojo de tu hermano, y no reparas en la viga que hay en tu ojo?" (Mt 7:3). Es mucho más fácil ver que otro nos ha ofendido que ver las ofensas que nosotros hacemos a los demás.

✠ *¿Qué puedo aprender de este pasaje?*

Día 2: Jacob envía mensajeros a Esaú (Gn 32:4-33:20)

Conforme Jacob se acerca al territorio de Esaú, la preocupación y ansia aumentan en su interior. La última vez que lo vio, él estaba planeando su muerte. Jacob separa gran parte de su ganado para darla como regalo a su hermano y la manda delante de sí para ganarse su benevolencia antes de encontrarlo. También manda por delante a sus mujeres e hijos y se queda solo del otro lado del torrente Yaboc, que parece marcar la frontera con el territorio de Esaú.

El episodio que sigue, la lucha que Jacob sostiene con un "hombre" toda la noche, es misterioso y oscuro, pero al mismo tiempo de mucho significado porque explica el origen del nombre Israel. El hombre con el que Jacob lucha es identificado por el texto con El, el dios más importante de entre los dioses cananeos (Jacob llama al lugar Penuel, "cara de El" en v. 31). No sabemos por qué motivo El tenía que luchar contra Jacob, pues el texto no lo dice, pero sí nos muestra a un Jacob que sale cambiado del encuentro. No solo ha cambiado su nombre de "tramposo" a "Dios lucha", sino que también ha cambiado el carácter. Jacob cojea como señal de que, aunque salió victorioso del encuentro, Dios ha dejado su marca en él. Ya no tiembla ante la idea de encontrar a Esaú, sino que se pone al frente de la caravana.

Esaú también es un hombre transformado. Corre a recibir a Jacob, abrazándolo y besándolo. El odio del pasado ha sido olvidado. Jacob mismo reconoce su culpa mientras insiste para que Esaú acepte todos sus regalos, porque "Dios me ha favorecido y tengo de todo" (v. 11). En otras palabras, Jacob está devolviendo la bendición que había obtenido de forma ilícita en el cap. 27. La escena está llena de espíritu de reconciliación. Esaú insiste para que Jacob se una a él en la tierra de Seir, pero Jacob siente que su deber es volver a Canaán, la Tierra Prometida a él y a sus descendientes.

Lectio divina

Dedica de 8 a 10 minutos a la contemplación silenciosa del siguiente pasaje:

Al centro de la historia del encuentro de Jacob con su hermano está la noche de lucha con un hombre. El hombre, a quien Jacob identifica más tarde como Dios, cambia su nombre por Israel porque él ha contendido con seres divinos y humanos, y ha vencido. Este episodio toca la vida de todos nosotros que tenemos que contender con lo divino a través de la fe y con lo humano por nuestros sentidos y emociones. Luchamos con nuestro deseo de amar a Dios y las muchas tentaciones de la vida diaria. Del mismo modo que Jacob, podemos salir de esas luchas transformados, si nos dejamos tocar por Dios. Nuestras mismas debilidades serán un recordatorio de ese cambio y de quién lo realizó.

✠ *¿Qué puedo aprender de este pasaje?*

Día 3: Genealogía de Esaú (Gn 36:1-37:1)

Como es costumbre en el Génesis, el autor menciona la genealogía de la rama menos importante para concentrarse sucesivamente en aquella que ha heredado la promesa. En este caso se trata de la descendencia de Esaú, que es el pueblo de Edom. El autor habla de los "Reyes que reinaron en Edom, antes de reinar rey alguno los israelitas". Esta referencia a los reyes de Israel parece demostrar que la narración y la genealogía presentes en este pasaje fueron compuestas después de la aparición de la monarquía.

Nota: en este día no se contempla *Lectio divina*.

LECCIÓN 5

José y sus hermanos

GÉNESIS 37:2-50:26

Les contestó José: "No teman, ¿ocupo yo acaso el puesto de Dios? Aunque ustedes pensaron hacerme daño, Dios lo pensó para bien, para hacer sobrevivir, como hoy ocurre, a un pueblo numeroso" (Gn 50:19-20).

Oración inicial (ver página 14)

Contexto

Parte 1: Génesis 37:2-41:57. José, uno de los dos hijos de Raquel, es el hijo preferido de Jacob. Jacob tiene sueños en los que se le anuncia que estará por encima de sus hermanos. Estos, por envidia, lo venden a una caravana de mercantes que lo lleva a Egipto y lo venden como esclavo. Judá tiene tres hijos de una mujer cananea: el primogénito se casa con Tamar y muere; el segundo, Onán, también muere porque no quiere dar descendencia a su hermano. Judá no le da a su tercer hijo como esposo por miedo de perderlo. Tamar recurre a una estratagema para lograr que su suegro le dé descendencia. José, que está al servicio de Putifar, ministro del faraón, es tentado por la mujer de este, pero él la rechaza. José es enviado a prisión injustamente. Después de interpretar los sueños del copero y del panadero reales, José es llevado ante el faraón para que le interprete dos sueños que ha tenido. El faraón nombra a José gran visir.

Parte 2: Génesis 42:1-50:26. Los hermanos de José tienen que bajar a Egipto a causa de una severa carestía. José los reconoce pero ellos a él no, lo que le permite ponerlos a prueba acusándolos de espías y pidiendo que traigan a su hermano pequeño como prueba de que dicen la verdad. Ellos vuelven a su padre dejando a Simeón como rehén. Después de un tiempo, se les acaban las provisiones por lo que tienen que bajar de nuevo a Egipto llevando a Benjamín. Ahí José los somete a una nueva prueba: esconde su copa de adivinar en el equipaje de Benjamín para ver cómo reaccionan los hermanos. Judá expresa en nombre de los demás su amor sincero y preocupación por el hermano menor. José se conmueve y les descubre quién es, asegurándoles que les perdona y que todo ha sucedido por providencia divina. Los hermanos vuelven a Canaán para traer a Jacob a Egipto, donde es recibido por José y el faraón les da la tierra de Gosén para que se establezcan. Antes de morir, Jacob bendice a sus hijos y a los hijos de José y anuncia proféticamente lo que sucederá con las tribus representadas por ellos. José sepulta a su padre y asegura a sus hermanos su perdón auténtico. José muere en Egipto, pero pide que lleven sus huesos con ellos cuando Dios los saque de ahí.

PARTE 1: ESTUDIO EN GRUPO (GN 37:2-41:57)

Lee en voz alta Génesis 37:2-41:57

José, el soñador (37:2-36)

La historia de José constituye la segunda parte de la vida de Jacob, que comienza en 25:21 y se cierra con su sepultura en 50:14 y la de su hijo José en 50:26. El encabezado del v. 2 "Estas son las generaciones (la historia familiar) de Jacob" describe mejor el contenido de esta parte que el título de "Historia de José" que le ha sido dada por los estudiosos, pues aunque José es el personaje central, no es para nada la única figura importante: también Jacob, Judá y el faraón son actores muy importantes.

La historia de José une las historias de los patriarcas con la estancia en Egipto. Explica cómo es que Jacob y sus hijos, que vivían en Canaán, terminaron en el país del Nilo, de donde saldrían siglos después para ir al Sinaí y volver de nuevo a Canaán. Por otro lado, la narración va demostrando cómo se va cumpliendo la promesa, pues de doce llegan a ser setenta las personas de la casa de Jacob (Gn 46:27), aunque tienen que dejar la Tierra Prometida para sobrevivir.

"Israel prefería a José entre sus hijos". El favoritismo tiene una larga historia en la familia de Jacob: Isaac prefería a Esaú y Rebeca a Jacob; Jacob, a su vez, amaba a Raquel más que a Lía. La preferencia de Jacob por José nace probablemente del hecho que es el hijo de Raquel. El texto dice que Jacob lo prefería porque "le nació en edad avanzada"; sin embargo, José nace cuando Jacob aún era suficientemente joven y robusto como para trabajar para Labán (Gn 30:23-24). Como signo de su preferencia, Jacob le hizo a José una túnica especial. La palabra hebrea que califica la túnica no es fácil de traducir. Algunas traducciones (basándose en las versiones griega y latina) traducen "túnica de muchos colores", otras (siguiendo una palabra parecida en arameo que significa "palma" o "mano") prefieren "túnica con mangas". Aunque no sabemos con certeza por qué es especial la túnica, 2 Samuel 13:18–19 usa la misma expresión para describir la túnica de una princesa.

José es descrito como alguien que recibe revelaciones en sueños y es capaz de interpretar los sueños de otros. En toda la historia de José aparecen tres pares de sueños. El primer par es soñado por José mismo y le anuncia su futuro, el segundo par consiste en los sueños del copero y del panadero del faraón, el último par son los sueños del faraón mismo. Los hermanos de José consideran sus sueños como signo de menosprecio hacia ellos. Los hermanos de José y Jacob se enojan al oír el relato de los sueños porque vivían en una época en la que estos eran tomados muy en serio. El autor nos dice que conservó estas palabras en mente, como si tuviera que meditarlas.

A la primera oportunidad, los hijos de Lía se confabulan para matar a José, precisamente como Esaú había planeado matar a Jacob. Al final deciden que le sacarán más provecho vendiéndolo como esclavo al mismo tiempo que pueden hacer sufrir a Jacob fingiendo que José está muerto. Jacob cae completamente en su engaño, que incluye usar la túnica de su hermano y matar un cabrito, justo como Jacob había hecho años antes con Isaac (cf. Gn 27:9-29) cuando mató a un cabrito y usó la ropa de su hermano.

Hay en la historia varias señas de que podría estar formada por más de una tradición: no queda claro quién es el hermano que lo defiende (Rubén v.21 o Judá v.26), ni a quién lo vendieron (ismaelitas 38:27.28 y 39:1 o madianitas 38:28.36). Algunos autores piensan que ismaelita y madianita son dos formas de nombrar al mismo grupo de personas. En cuanto al problema de quién defendió a José, puede ser que Rubén propusiera echarlo a un pozo, para no matarlo. Quedando el problema todavía sin resolver pues José podría morir en el pozo o volver a contarle todo a su padre, Judá propone venderlo para evitar cualquiera de los dos males y de paso sacar algo de provecho.

Cuando Jacob se entera de la supuesta muerte de José, se rehúsa a que lo consuelen sus hijos e hijas, y declara que bajará al sheol, la región de los muertos, haciendo luto por su hijo. El sheol era el lugar de los muertos en el Antiguo Testamento donde el espíritu de los difuntos continuaba una existencia más bien infeliz, como de sombras. El concepto de vida después de la muerte, la vida eterna o condenación, aún no se había desarrollado.

Una vez más, vemos cómo el plan de Dios se cumple a pesar de (o más bien a causa de) las debilidades humanas. La preferencia ciega de Jacob y los sueños de José convierten la rivalidad normal entre hermanos en odio profundo, de manera que los hermanos de este último planean matarlo y Jacob no se da cuenta de todo lo que está pasando entre sus hijos. Sin embargo, sus acciones pecaminosas y criminales llevan al cumplimiento de los sueños de José.

Mientras Jacob llora a su hijo supuestamente muerto, el autor cierra el episodio anunciando la nueva vida que José está para iniciar en Egipto, donde es vendido como esclavo a Putifar, ministro del faraón.

La tentación de José (Gn 39:1-23)

El capítulo 39 reintroduce a José, diciéndonos que los ismaelitas que lo habían comprado a sus hermanos lo vendieron a Putifar. El capítulo puede dividirse en tres escenas:

1. Prosperidad de José en casa de Putifar (vv. 2-6)
2. Provocación constante de la mujer de Putifar (vv. 8-10)
3. La desgracia de José (vv. 11-20)

Cuando Putifar vio que el Señor estaba con José, lo puso al frente de su casa y le confió cuanto tenía. La insistencia en este pasaje se pone, no tanto en el éxito de José, cuanto en el hecho de que Dios está con él. Una característica de la historia de Jacob es que Dios les promete a Isaac y a Jacob que estará con ellos (cf. Gn 26:3, 24, 28; 28:15, 20; 31:3). Ahora se dice lo mismo de José, dos veces aquí y otras dos en la siguiente sección (39:21, 23). Se dice también que en atención a José, Dios bendijo la casa de Putifar. El tema de la bendición es uno de los más importantes en el Génesis y parte de las promesas hechas a Abrahán. En la historia de José se pone en evidencia que la presencia del Señor en la vida de alguien conlleva la bendición. Vemos cómo la promesa de bendición se va cumpliendo: a través de José, la bendición de Dios llega primero a Putifar y luego a todo Egipto.

El autor describe a José con características de un héroe, atractivo y de buena presencia. Desgraciadamente, esas características serán las que atraigan la atención de la esposa de su señor, que le invitará a acostarse con ella. José se rehúsa, no queriendo traicionar la confianza que ha depositado en él su amo, ni queriendo pecar contra Dios.

Un día en que los siervos estaban ausentes, la mujer de Putifar lo provoca de nuevo y lo agarra por el manto mientras él sale corriendo. Ella grita hasta que llegan los criados y acusa a José de haber querido abusar de ella presentando su manto como prueba. Cuando su amo escucha la historia de su mujer, pone a José en prisión.

Incluso en la cárcel el Señor está con José. Dos veces se vuelve a repetir esta frase, como al inicio del capítulo para subrayar que la Providencia está guiando los pasos de José.

José interpreta los sueños del copero y panadero reales (Gn 40:1-23)

José encuentra en la cárcel al copero y al panadero del faraón, a quienes este ha puesto en prisión. El jefe de los guardias les asigna a José para que los sirva. Ambos tienen sueños que José interpreta. Predice al copero que en tres días será restituido a su puesto de jefe de coperos y le pide que se acuerde de él cuando eso suceda y le mencione su nombre al faraón. Al panadero José le anuncia que en tres días será colgado de un madero y los pájaros picotearán su carne. Tres días después todo sucede como José había predicho, pero el copero real se olvida de la petición de José.

En la mentalidad antigua, los sueños eran un medio por el que Dios comunicaba su voluntad a los seres humanos; pero para el sabio israelita, Dios es quién da la capacidad de interpretarlos y son pocos los que pueden hacerlo.

Este capítulo habla de la capacidad de José para interpretar sueños y ganarse a las personas, pero, más que eso, habla de Dios que le sigue asistiendo y no lo abandona. También nos revela el sufrimiento y amargura de José en su frase al copero real: "pues fui raptado del país de los hebreos y, por lo demás, tampoco aquí hice nada para que me metieran en el calabozo" (v. 15). Sin embargo no pierde la esperanza.

José interpreta los sueños del faraón (Gn 41:1-57)

El capítulo 41 concluye el gran intermedio en la vida de José constituido por los capítulos 39-41. Separado de su familia y luchando para seguir adelante en un país extranjero y hostil, José ha tenido dos ocasiones en que parecía que su suerte iba a mejorar, pero en realidad solo empeoró. Esta es la tercera oportunidad y será la definitiva. Por el dato del v. 46, sabemos que José tenía 30 años cuando sucedió este último episodio: si tenía 17 cuando fue vendido (cf. Gn 37:1), ha pasado 13 años en estas circunstancias. Esto nos habla de su paciencia y fidelidad a pesar de las dificultades.

El capítulo contiene tres escenas: 1) los sueños del faraón (vv. 1-13); 2) interpretación de los sueños (vv. 14-46); y 3) cumplimiento de los sueños (vv. 47-57).

Dos años después de los eventos anteriores, el faraón tiene dos sueños que los magos y sabios de Egipto no pueden interpretar. El copero real se acuerda de que José interpretó acertadamente su sueño y el del panadero real, y lo menciona al faraón, quien hace traer a José. José reconoce una vez más que la capacidad de interpretar sueños no le pertenece, sino que es don de Dios. Aquí, como en los casos anteriores, se trata de un par de sueños. El hecho de que sean dos, indica que el anuncio de lo que está por venir está confirmado y es seguro.

José interpreta los dos sueños del faraón como el anuncio de siete años de prosperidad seguidos por otros siete de carestía y sugiere al faraón que ponga a alguien de encargado para que organice el almacenaje de comida en los siete años de prosperidad para poder distribuirlo en los años de carestía. El número siete en la antigüedad tenía valor sagrado, muchas veces simbolizando el destino. Las vacas no eran un animal cualquiera, pues representaban a Egipto y a uno de sus principales dioses, Isis.

El faraón pone a José a cargo de la recolección, reconociendo su sabiduría y prudencia. Era el segundo en el mando después de él. El faraón califica a José de sabio y prudente porque Dios le ha revelado todo esto, en línea con el concepto de que le verdadera sabiduría es un don de Dios, no fruto del estudio o trabajo personal.

El faraón también le cambia el nombre a José. El significado del nuevo nombre, Zafnat-Panej, es incierto, aunque se han dado diversas interpretaciones. Lo que parece claro es que se trata, como en otras partes, de un signo para expresar el inicio de una nueva vida.

José se dedica inmediatamente a viajar por Egipto y a almacenar grano para los años de carestía. Antes del primer año de la misma, le nacen dos hijos de la mujer egipcia que el faraón le había dado: Manasés y Efraín.

Preguntas de reflexión

1. ¿Crees que la historia del encarcelamiento de José nos muestra que Dios puede sacar bien del mal?
2. ¿Qué semejanzas encuentras entre José, hijo de Jacob, y José, esposo de María?
3. ¿Por qué crees que le dan un cargo tan alto en Egipto?

Oración final (ver página 15)

Reza la oración final ahora o después de la *Lectio divina*

Lectio divina (ver página 8)

José, el soñador (Gn 37:2-36)

Dedica de 8 a 10 minutos a la contemplación silenciosa del siguiente pasaje:

En el Evangelio de Mateo leemos acerca de otro José que tiene sueños: José, el esposo de María. En las narraciones de la infancia, José recibe consejos y advertencias en sueños. La historia de José en el Génesis nos cuenta cómo es que los israelitas fueron a Egipto mientras que José en el Evangelio de Mateo recibe la indicación en un sueño de tomar a María como esposa, huir a Egipto para evitar la matanza de los inocentes y al final dejar Egipto y volver a la tierra de Israel. Las historias de los dos José nos dicen que Dios tiene un plan para los hombres y que nosotros somos parte de ese plan en tanto en cuanto respondemos a las inspiraciones del Espíritu Santo en nuestras vidas.

✠ *¿Qué puedo aprender de este pasaje?*

Judá y Tamar (Gn 38:1-30)

En el Evangelio de Juan, los escribas y fariseos llevan ante Jesús a una mujer descubierta en flagrante adulterio para preguntarle si deben apedrearla como Moisés ordenó. La respuesta de Jesús es que quien no tenga pecado, que lance la primera piedra. Judá, en esta narración, estaba preparado para quemar a Tamar hasta que ella lo convence de que él no está sin pecado.

✠ *¿Qué puedo aprender de este pasaje?*

La tentación de José (Gn 39:1-23)

La historia de la tentación de José recuerda las palabras de la oración del Señor donde rezamos "no nos dejes caer en tentación". Evitar la tentación es difícil, pero cuando una persona inocente es acusada falsamente y castigada, otra tentación de ira y resentimiento aparece. No existe evidencia de que José haya permitido que ninguna otra tentación lo controlara. Una persona virtuosa que vence la tentación puede ser tentada por el orgullo. Parece que no hay alivio para las tentaciones y esa es la razón de por qué necesitamos orar para no caer en ellas.

✠ *¿Qué puedo aprender de este pasaje?*

José interpreta los sueños del copero y panadero reales (Gn 40:1-23)

José interpreta el sueño del jefe de los coperos reales y le pide que se acuerde de él, mencionando su nombre al faraón, pero el copero se olvida de él. Las buenas acciones son ignoradas u olvidadas con frecuencia por los hombres, pero no por Dios. En el Evangelio de san Lucas, encontramos un pasaje en el que Jesús cura a diez leprosos, pero solo uno vuelve glorificando a Dios. Jesús pregunta con tristeza: "Los otros nueve, ¿dónde están?" (Lc 17:17). También Dios aprecia nuestra gratitud por los dones que recibimos.

✠ *¿Qué puedo aprender de este pasaje?*

José interpreta los sueños del faraón (Gn 41:1-57)

El faraón tiene sueños y José es capaz de convertirlos en esperanzas para el futuro. Puede ahora soñar en la posibilidad de tener comida para su pueblo durante los tiempos de carestía. Cuando José vivía con Jacob, quizá pensó que su futuro sería la vida de un pastor, pero eso cambió a causa de su habilidad para interpretar sueños. Nuestra fe nos dice que Dios tiene un sueño sobre nuestra vida, que es nuestra salvación y nuestra vocación particular en la vida.

✠ *¿Qué puedo aprender de este pasaje?*

PARTE 2: ESTUDIO INDIVIDUAL (GN 42:1-50:26)

Día 1: Los hermanos de José en Egipto (42:1-43:34)

El capítulo 42 se abre narrando cuando la carestía se ha generalizado ya en toda la región y el único lugar donde se puede conseguir grano es Egipto, gracias a la previsión de José. Este pasaje es una de las obras maestras de la literatura y psicología por la forma como logra presenta el diálogo entre los hermanos y toda su evolución interior. Las cosas han cambiado para José, pero también él mismo ha cambiado. No es el mismo muchacho presuntuoso del inicio de la historia que irrita a sus hermanos, sino un hombre sabio y prudente que se deja guiar por Dios.

El capítulo contiene cinco escenas: 1) Jacob manda a sus hijos a Egipto (vv. 1-4); 2) primera audiencia con José (vv. 5-17); 3) segunda audiencia con José (vv. 18-24); 4) viaje de regreso (vv. 25-28); 5) reporte de la misión a Jacob (vv. 29-38).

Jacob manda a Egipto a todos sus hijos, excepto a Benjamín, para que se abastezcan. Benjamín es el otro hijo de Raquel, su esposa amada. Ellos se encuentran con José, pero no lo reconocen: está probablemente rasurado y vestido a la usanza egipcia, además han pasado más de 20 años desde la última vez que lo vieron. Se postran ante él, cumpliéndose así lo que sus sueños habían predicho. Él los acusa de ser espías para sacarles más información sobre su padre y su hermano Benjamín, y observar sus reacciones y descubrir si siguen siendo igual de egoístas y duros de corazón que veinte años antes. Ellos tratan de convencerlo de lo contrario, afirmando que son todos hijos de un mismo padre y que, por tanto, si fueran espías, no viajarían juntos arriesgando a toda la familia. Al mismo tiempo, sin saberlo ellos, pero José y el lector lo saben, se está poniendo de relieve el hecho de que todos en la escena son hermanos separados por una tragedia.

La tercera escena es importante porque nos va mostrando cambios de actitudes en los protagonistas: José se presenta más amable e interesado en su bienestar. Les propone detener solo a uno de ellos, mientras los otros ocho van a traer a Benjamín. Los hermanos, por su cuenta, aparecen como alguien que está aprendiendo la lección: confiesan su culpa al hacer sufrir a José y reconocen la justicia de su situación presente. Vemos los primeros pasos hacia la reconciliación. Al quedarse con uno de los hermanos les hace revivir la experiencia que tuvieron con él y discutir sobre ella, reconociendo su culpa. José llora, mostrando que a pesar de su aparente dureza, ama a sus hermanos y quiere la reconciliación.

José retiene a Simeón por dos motivos: en primer lugar, para animar a sus hermanos a que vuelvan trayendo a Benjamín; pero en segundo lugar, repite de alguna manera lo que hicieron con José y los pone en la misma tentación: ¿lo abandonarán, como hicieron con él?

Cuando vuelven a Canaán y refieren a Jacob lo que les ha sucedido, Jacob no deja ir Benjamín inicialmente por miedo a que le pase lo mismo que a José. Solo cuando se les acaban los alimentos accede a dejarlo ir. Jacob los manda cargados de regalos para el hombre que ninguno ha reconocido, como hizo con su hermano Esaú, esperando que tenga piedad y les devuelva a Simeón.

Cuando llegan a Egipto con Benjamín, José los invita a cenar con él y son llevados a su casa, lo que los preocupa porque piensan que serán tomados como esclavos. Durante el banquete sus lugares están dispuestos por orden de edad, lo que los maravilla. José muestra preferencia por Benjamín mandándole porciones cinco veces mayores que a los demás. La cena continúa con grandes signos de amistad. Hasta se emborrachan juntos.

Lectio divina

Dedica de 8 a 10 minutos a la contemplación silenciosa del siguiente pasaje:

El Evangelio de san Marcos narra la historia de un ciego al que Jesús cura. El hombre recupera la vista poco a poco, no de golpe. Primero ve gente que parece como árboles caminando, pero cuando Jesús lo toca por segunda vez, comienza a ver con claridad (cf. Mc 8:22-26). El mensaje de la curación en esta historia del Evangelio es que los discípulos de Jesús, aunque se dan cuenta de que hay algo especial en él, no lo comprenden completamente desde el inicio. La comprensión vendrá poco a poco.

Cada vez que José pone a prueba a sus hermanos, los está empujando a que se den cuenta del impacto real de su pecado al haberlo vendido como esclavo. Cuando pecamos, tenemos que tomar el tiempo para meditar el significado de la vida, el amor y el mensaje de Jesús y para reconocer el impacto de nuestros pecados en el amor de Dios por nosotros. Cuanto más nos acercamos a Cristo, más lamentamos las veces que lo hemos ignorado o rechazado por medio del pecado.

✠ *¿Qué puedo aprender de este pasaje?*

Día 2: La prueba final y la verdad (Gn 44:1-45:28)

José prepara la última prueba: manda a su mayordomo que llene los sacos de sus hermanos con víveres y esconda su copa de plata en la bolsa de Benjamín. La copa de plata era un vaso sagrado que se usaba para adivinar el futuro. Los dejan marchar y luego José ordena que los alcancen y José amenaza que quien tenga su copa se quedará como esclavo. La pregunta que surge inmediatamente en la mente del lector es: ¿abandonarán a Benjamín como hicieron con José?"

Al encontrar la copa en la bolsa de Benjamín, confundidos, los hermanos reaccionan excusándose y confesándose todos culpables y dignos de ser convertidos en esclavos, para no dejar a Benjamín solo. José se rehúsa y entonces Judá se acerca y le relata las desgracias que ha tenido que afrontar Jacob con la pérdida de José y el sufrimiento que fue para él dejar a Benjamín bajar a Egipto. Al final le pide a José que lo deje a él como esclavo y permita a Benjamín volver a su padre.

Las palabras conmovedoras de Judá muestran cómo han cambiado los hermanos, y especialmente él, en estos años. Ahora se le ve tan identificado con su padre que no puede soportar lo que significaría para su Jacob que Benjamín no volviera y escoge sufrir él en su lugar la pena anunciada. ¡Qué diferencia respecto a su actuación más de veinte años antes!

José no puede contenerse más delante del personal de su corte, así que les manda salir y revela su identidad a sus hermanos al mismo tiempo que les pregunta si su padre vive aún. Los hermanos no saben qué responder, llenos de confusión y vergüenza ante la revelación. José, entonces, para aligerar su culpa por haberlo vendido, les dice que fue Dios el que lo mandó a Egipto para salvar vidas. Estas frases resumen el mensaje teológico de la historia de José. Aunque el Génesis afirma con fuerza que Dios ha usado el pecado de los hermanos para bien, de ninguna manera excusa esos pecados ni sugiere que se olviden. Muy al contrario, muestra todas las consecuencias negativas de los mismos y la necesidad de arrepentimiento y conversión para que se dé una verdadera reconciliación.

El capítulo 45 termina relatando cómo se hacen todos los arreglos para que Jacob sea trasladado a Egipto con el beneplácito del faraón (17-20) y la constatación del consentimiento de Jacob para emprender el viaje (21- 28).

Lectio divina

Dedica de 8 a 10 minutos a la contemplación silenciosa del siguiente pasaje:

En el Evangelio de Mateo, Jesús dice: "Vengan a mí todos los que están fatigados y sobrecargados, y yo les daré descanso" (11:28). Después de todas las dificultades que Jacob tuvo que soportar y después de las terribles pruebas puestas a sus hermanos, José los llama a descansar de sus preocupaciones. Él es una figura de Cristo. Él es el hijo escogido por Dios para traer la salvación a Israel, exactamente como Jesús ofrece la esperanza de descanso y salvación a quienes están dispuestos a soportar todo por su amor.

✠ *¿Qué puedo aprender de este pasaje?*

Día 3: Israel en Egipto (Gn 46:1-47:26)

En el camino hacia Egipto, Jacob tiene una visión de noche en Berseba en la que Dios le dice que no tenga miedo en bajar a Egipto porque ahí lo convertirá en un pueblo numeroso. Esta confirmación de parte de Dios era necesaria, pues Jacob estaba a punto de dejar la Tierra Prometida. La visión confirma las palabras de José: se trata de Dios que guía la historia para bien. Justamente después de esta visión, y después de que la caravana vuelve a partir, el autor presenta la lista de todas las personas de la familia de Jacob que bajan con él a Egipto: setenta. El valor simbólico del número 70 está presente como símbolo de que la promesa se está cumpliendo y como garantía del porvenir.

Israel manda por delante a Judá para que prepare el encuentro con José en Gosén. Cuando se encuentran, José se echa a llorar en brazos de su padre, quien proclama que está listo para morir, puesto que ha visto a su hijo en persona y vivo. José les comunica que va a informar al faraón de la llegada de su familia, que son pastores y han traído su ganado consigo. También los instruye para que ellos mismos digan al faraón que son pastores, asegurando de esta manera que los deje permanecer en Gosén, donde hay tierra de pastoreo, y al mismo tiempo separándolos de los egipcios que detestaban a los pastores.

La entrevista entre Jacob y el faraón es sencilla y agradable. Los dos representan de algún modo el poder. Jacob es rico por lo que sabemos, pues posee abundante ganado y es padre de numerosa prole; sin embargo, su poderío se presenta aquí sobre todo como poseedor de la bendición y las promesas divinas. El faraón es el señor de un gran imperio, sin embargo, es Jacob el que lo bendice dos veces (47:7b.10).

Buena parte del capítulo 47 después de los hechos anteriores se dedica a narrar las acciones de José en la administración de los víveres y el grano durante la carestía (vv. 13-27). La lectura de estos versículos nos permite ver también cómo se construyó el imperio egipcio y todos los imperios del cercano Oriente, y en definitiva todos los imperios, esto es, en la explotación de las necesidades de los pueblos.

Lectio divina

Dedica de 8 a 10 minutos a la contemplación silenciosa del siguiente pasaje:

La gente del tiempo de Jesús sabía que las bendiciones dadas por Dios a la familia de Israel cesarían en los siglos posteriores y que el pueblo caería en la esclavitud, en vez de vivir de la riqueza de la tierra. Gracias a Dios, la gente mantuvo la fe durante el período de abundancia y luego en el tramo final de esclavitud. En el Evangelio de san Lucas, Jesús cuenta la historia de un hombre rico insensato que planeó construir graneros más grandes para poderse dedicar a vivir con lujo, pero Dios lo llama insensato porque esa noche él mismo iba a tomar su vida (cf 12:16-21). Jesús cuenta esta historia para recordarnos que nuestro verdadero tesoro en la vida es permanecer fieles a Dios en los tiempos buenos y en los malos, así como hicieron los israelitas.

✠ *¿Qué puedo aprender de este pasaje?*

Día 4: La bendición y el testamento de Jacob

Jacob vive por diecisiete años en Egipto, durante los cuales su familia prospera. Al sentir que su hora se acerca, Jacob hace que José ponga la mano debajo de su muslo y le jure que lo sepultará en el sepulcro familiar, en la tierra de Canaán. José lo hace.

Al saber de la muerte inminente de su padre, José lleva con él a sus hijos, Manasés y Efraín, a visitar a su padre. Jacob los adopta poniéndolos en sus rodillas, dándoles con esto el mismo estatus que a sus otros hijos. Este relato intenta explicar por qué posteriormente, Efraín y Manasés serán tribus con todos los derechos; más aún, serán las dos tribus más grandes en el Norte. José había puesto a Manasés, el mayor, a la derecha de Jacob y a Efraín, el menor, a la izquierda. Cuando Jacob extendió las manos para bendecirlos, las cruzó poniendo la mano derecha sobre Efraín y la izquierda sobre Manasés. De esta manera dio precedencia al menor sobre el mayor, un tema característico del Génesis. José protesta, pero Jacob insiste.

Las últimas palabras de Jacob a José le anuncian que Dios estará con él y lo llevará a la tierra de sus antepasados. Esta frase puede referirse tanto a la sepultura final de José como al retorno de sus descendientes a la Tierra Prometida. Jacob también honra a José por encima de sus hermanos dándole Siquén, que había conquistado a los amorreos. Según Génesis 34, Jacob no tomó Siquén.

Jacob predice el futuro de sus hijos. En realidad las bendiciones se refieren a tiempos posteriores a la historia y parecen venir de diferentes autores refiriéndose no siempre a los hijos de Jacob, sino a las tribus que llevan sus nombres. Un editor juntó todo este material y le dio la forma actual.

Algunas profecías merecen ser comentadas especialmente. Rubén, el mayor de los hijos, sobresale en rango y fuerza, pero no prosperará porque se acostó con la concubina de su padre. Aquí de nuevo no se trata solo del aspecto moral sexual, sino de haber atentado contra la dignidad y propiedad de su padre. En el antiguo Israel, las mujeres de un hombre eran el símbolo de su honorabilidad y la seguridad de una descendencia para el futuro. También habla duramente de Simeón y Leví por la matanza que hicieron in Siquén cuando la violación de Dina. Judá, en cambio, es alabado. La desgracia de los tres primeros hermanos explica la promoción del cuarto. Él es el hermano que triunfará sobre los demás y le anuncia que el cetro (imagen de la autoridad) no se apartará de "entre sus pies hasta que le traigan tributo y le rindan homenaje los pueblos". El sentido de la expresión "entre sus pies" es obscuro y ha suscitado mucha discusión. Probablemente se refiere a los descendientes de Judá. La palabra "pies" es usada frecuentemente como eufemismo para referirse a los órganos sexuales, así la frase querría decir que el cetro no se apartará nunca de entre los descendientes de Judá. Esta profecía ha sido vista como referencia al Mesías que ha de venir de la tribu de Judá.

El único hermano que recibe una bendición es José, como era de esperarse. A él se dedica la última sección, y la más larga, del testamento de Jacob (49:22-26). José vive con abundancia y, aunque atacado con frecuencia, sigue siendo un conquistador con la ayuda del Dios de Jacob y de la Roca de Israel (una metáfora para Dios, que sostiene y protege a Israel). La abundancia de las bendiciones de Dios acompañará a José. Son bendecidos los dos hermanos representantes de las tribus que formarán los núcleos de los dos reinos: Judá, al Sur; y José, al Norte.

Lectio divina

Dedica de 8 a 10 minutos a la contemplación silenciosa del siguiente pasaje:

La elección del segundogénito en las historias del Génesis nos muestra que Dios escoge a quien quiere, sin obligaciones previas. Cuando leemos los Hechos de los Apóstoles, descubrimos que fueron los trabajos misioneros y las cartas de san Pablo los que tuvieron el mayor influjo en el futuro de la Iglesia. Pablo, alguien que llegó a ser apóstol en un segundo momento y que no convivió con Jesús durante su vida pública, fue el escogido para enseñarnos la forma de vivir como Iglesia. Él nos introdujo a la imagen de la Iglesia como cuerpo de Cristo y a la realidad de que todos recibimos una llamada particular al plan de Dios. Dios escoge a quien quiere.

✠ *¿Qué puedo aprender de este pasaje?*

Día 5: Muerte y funeral de Jacob (Gn 49:29-50:26)

La sección final del libro del Génesis se puede dividir en tres escenas:

1) Muerte y sepultura de Jacob: antes de morir, Jacob da a sus hijos instrucciones de que lo sepulten en Canaán. José lleva a cabo sus instrucciones, sepultándolo en la cueva e Macpelá en Canaán y después regresa a Egipto.

2) El arrepentimiento de los hermanos de José y su petición formal de perdón. Aunque ya José les había asegurado su buena voluntad (45:4-8), a la muerte de su padre, posiblemente temen que él se quiera vengar de lo que le hicieron en su juventud y se apresuran a pedirle perdón. Es la primera vez que reconocen abiertamente su culpa y una vez más declaran su sumisión a José. Una vez más José reafirma la acción de la providencia divina que saca bien del mal.

3) Conclusión. José muere anciano, conociendo a los hijos de Efraín hasta la tercera generación, que es una forma de indicar que murió cargado de años y muy bendecido. A diferencia de Jacob, no pide ser sepultado de inmediato en la tierra de Canaán, sino que pide que "cuando Dios se ocupe de ellos" lleven sus huesos de ahí, como para indicar lo que le esperaba próximamente al pueblo.

Lectio divina

Dedica de 8 a 10 minutos a la contemplación silenciosa del siguiente pasaje:

La gente del tiempo de José creía que la propia vida mortal continuaba a través de los hijos herederos, razón por la cual tener un hijo varón era tan importante. Creían que el espíritu de Abrahán, Isaac y Jacob de alguna forma continuaba en su descendencia. Nosotros creemos que los líderes de Israel, elegidos por Dios, son santos que toman parte en la gloria de Dios. En los Evangelios leemos de la resurrección de Jesús y sabemos que también nosotros vamos a resucitar. Creemos que los patriarcas, Jesús y todos nosotros tendremos parte en la gloria de Dios.

✠ *¿Qué puedo aprender de este pasaje?*

Preguntas de reflexión

1. ¿Qué dice de José la forma en que pone a prueba a sus hermanos?
2. ¿El hecho de que los perdone qué cosa nos revela de él?
3. ¿Cuál es la importancia de que Jacob haya escogido al segundo hijo de José por encima del primero?

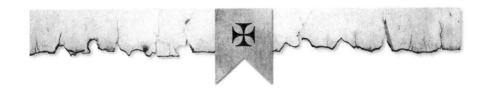

La salida de Egipto

ÉXODO 1:1-7:7

Dios dijo a Moisés: "Yo soy el que soy". Y añadió: "Así dirás a los israelitas: «Yo soy» me ha enviado a ustedes". Siguió Dios diciendo a Moisés: "Así dirás a los israelitas: Yahvé, el Dios de sus padres, el Dios de Abrahán, el Dios de Isaac y el Dios de Jacob, me ha enviado a ustedes" (Éx 3:14-15).

Oración inicial (ver página 14)

El libro del Éxodo presupone y da continuidad a los relatos que encontramos en el Génesis, aunque introduce un importante cambio de perspectiva. Mientras que en el Génesis las figuras importantes eran individuos, en el Éxodo el punto focal de la historia es el pueblo.

Como para los otros libros de la Biblia, no tenemos un índice del contenido del Éxodo. A parte de la ya mencionada en la introducción, se han propuesto muchas formas de dividirlo. Una de ellas bastante aceptada es de acuerdo con la zona geográfica en donde se desarrolla la acción: 1) El éxodo o salida de Egipto (1:1-15:21); 2) la marcha por el desierto (15:22-18:27); y 3) la entrega de la ley y la construcción del tabernáculo al pie del monte Sinaí.

Contexto

Parte 1: Éxodo 1:1-4:31. Cuatrocientos años pasan desde el final del Génesis hasta el inicio del libro del Éxodo. El título del libro en español, que significa "salida", viene de la traducción griega llamada "Los setenta", realizada unos 150 años antes de Cristo. El nombre hebreo es *Shemot*, que significa "Nombres" y viene de la primera frase del libro: "Estos son los nombres…" (1:1). Los primeros versículos del libro hacen de puente con el libro del Génesis, enumerando a los descendientes de Jacob que bajaron a Egipto e indicando que se multiplicaron mucho en el país. Al mismo tiempo pone de relieve cómo las circunstancias cambiaron radicalmente en contra de ellos. De esta forma prepara a lo que está por suceder. El faraón manda a las parteras que maten a los hijos varones de los hebreos cuando nazcan, pero ellas los dejan vivir. Cuando nace el niño, que luego se llamará Moisés, es escondido entre las cañas del Nilo y la hija del faraón lo encuentra y lo adopta. Sin saberlo lo da a la madre de la criatura para que lo críe. Ya de grande, Moisés mata a un egipcio por defender a un hebreo y tiene que huir al desierto donde se establece, se casa y tiene un hijo. Dios se le aparece en el desierto y lo manda a que libere a los israelitas de la esclavitud. Moisés vuelve a Egipto y se presenta junto con Aarón a los jefes de Israel; el pueblo creyó y adoró al Señor.

Parte 2: Éxodo 4:32-7:7. Dios había predicho que el faraón no dejaría salir a los israelitas. El Señor mandará plagas sobre los egipcios hasta el punto de que ellos mismos quieran que se marchen. Los israelitas tomarán de los egipcios artículos de oro y plata, y vestidos. El Señor nombra a Aarón como portavoz de Moisés. Cuando Moisés y Aarón piden autorización al faraón para que el pueblo vaya a dar culto a su Dios en el desierto, el faraón toma represalias haciéndoles la vida más difícil. Dios promete cumplir la promesa hecha en el pasado a Abrahán, Isaac y Jacob.

PARTE 1: ESTUDIO EN GRUPO (ÉX 1:1-3:15)

Lee en voz alta Éxodo 1:1-3:15

Los descendientes de Jacob en Egipto (Éx 1:1-22)

El autor inicia dando los nombres de los hijos de Jacob de acuerdo con quien fue su madre. Los primeros seis son los hijos de Lía, luego los de Raquel, Bilá y Zilpá. El número de los descendientes de Jacob era de setenta.

El texto prepara para las dificultades que surgirán diciendo que "surgió en Egipto un nuevo rey, que no había conocido a José": es decir, que ignoraba o no quería reconocer el lugar que José había tenido en la historia de Egipto. No se da el nombre de este faraón porque lo que interesa no es el detalle histórico concreto, sino el rasgo típico: a lo largo de toda la historia, él será la personificación de quien se opone a los planes de Dios. Y entabla una lucha despótica contra su pueblo.

A pesar de la opresión que se desata, los hebreos siguen multiplicándose y extendiéndose, por lo que los egipcios los temían. El faraón da instrucciones a las comadronas hebreas de matar a los niños y conservar a las niñas. La razón de esto es que en la antigüedad quien continuaba el linaje y tenía derecho a la herencia eran los hijos varones. Quedando solo niñas hebreas, serían dadas como mujeres a los egipcios, convirtiéndose así en egipcias para todos los efectos. Las parteras temen a Dios y desobedecen la orden del faraón. La finalidad de esta narración es poner de relieve cómo todo lo que emprende el faraón para mal del pueblo, se vuelve en realidad para su provecho. Por último, llega la orden de arrojar a los niños al Nilo, que culmina con la salvación de Moisés, que será el futuro liberador de Israel.

La adopción de Moisés (Éx 2:1-10)

Hay varios paralelos con la historia de la creación en el relato del rescate de Moisés. Cuando nace, su madre vio que era bueno (algunas versiones traducen "hermoso"), exactamente como Dios ve que la creación es buena. La palabra hebrea usada para nombrar la canasta donde el niño fue puesto (*tebat*), es la misma que se da al arca de Noé en la historia del diluvio. De la misma manera en que Noé se salvó en el arca, Moisés fuel salvado en la canasta. Hay, incluso, una relación con un evento posterior: su madre lo pone entre los juncos, cuando Moisés guiará al pueblo fuera de Egipto, pasarán por el "mar de los juncos", también llamado "Mar Rojo". En la historia del diluvio, Noé ayudó a su familia a escapar de un mundo esclavizado por el pecado; Moisés llevará al pueblo judío a una nueva creación ayudándolo a escapar de la esclavitud de Egipto.

Después de que el niño es encontrado por la hija del faraón, esta lo entrega a la madre del niño para que lo amamante. Todo esto sucede por intervención de la hermana del niño y sin que la hija del faraón conozca su parentesco. Cuando el niño tenía tres años, su madre lo lleva a la hija del faraón, que lo adopta como hijo y le da el nombre de Moisés. El nombre como tal es de origen egipcio y se encuentra en algunos nombres compuestos como Tutmosis y Ahmosis, sin embargo, el autor usa una etimología popular para explicarlo, haciendo una lectura teológica del mismo. Utiliza un juego de palabras con la frase en hebreo que significa "lo saqué" (*meshitihu*) y que viene de un verbo que suena parecido al nombre de Moisés (*Masha*). Esto tiene un doble significado: por un lado, Moisés fue sacado de las aguas por la hija del faraón, pero por otro, él sacará a los judíos de Egipto pasando por las aguas del Mar Rojo.

Moisés huye a Madián (Éx 2:11-22)

Moisés crece siendo testigo de los duros trabajos de sus hermanos de raza. Un día encuentra a un egipcio golpeando a un esclavo hebreo y, al no ver a nadie cerca, lo mata y lo oculta en la arena. Cuando el faraón se entera del incidente, busca matar a Moisés, que se ve forzado a huir a la tierra de Madián, donde vivían los descendientes de Abrahán y su segunda esposa Queturá (cf. Gn 25:1-2). Desde joven Moisés aparece como alguien que se preocupa por la situación y los sufrimientos de los demás, pero va a tener que ir aprendiendo cómo intervenir: no será con la violencia como liberará a los israelitas.

En Madián, Moisés se queda en casa de Reuel, sacerdote de ese lugar. Moisés se casará más tarde con una de sus hijas, Séfora. En el siguiente capítulo, se nos dice que el suegro de Moisés se llamaba Jetró. La diferencia de nombres puede provenir, o de que Reuel era el abuelo de Séfora y Jetró su padre, o de que los nombres provienen de diferentes tradiciones. Su mujer le da un hijo, al que llama Guersón, nombre del que se da la etimología popular "soy un extranjero en tierra extraña", porque en hebreo suena parecido a la frase "extranjero ahí".

La zarza ardiente (Éx 2:23-3:15)

Después de un tiempo, el faraón muere, pero las condiciones de opresión no cesan para los judíos, los cuales clamaban y se lamentaban. Hasta este momento, Dios no ha intervenido directamente en la historia, pero cuando oye los gritos de aflicción de los judíos, el texto dice que "Dios escuchó sus gemidos y se acordó de su alianza con Abrahán, Isaac y Jacob". Queda definida la posición de Dios ante la historia humana: "se interesó por ellos", por los esclavos que se quejaban de su esclavitud.

Moisés está pastoreando las ovejas de su suegro, que lleva al Horeb, el monte de Dios (parece que el monte es llamado Horeb en el documento Elohista, pero en el Sacerdotal [P] y Yahvita [J] es denominado Sinaí). Ahí se le aparece "el ángel del Señor" en una zarza ardiendo. La expresión "ángel del Señor" puede indicar tanto un mensajero de Dios, como la presencia de Dios mismo, como es el caso aquí. La zarza ardía sin consumirse, lo que atrajo la curiosidad de Moisés. Dios habla a Moisés desde el fuego, llamándolo por su nombre, y le manda quitarse las sandalias porque está en lugar sagrado. Se presenta ante él como "el Dios de tu padre, el Dios de Abrahán, el Dios de Isaac y el Dios de Jacob" (3:6). Se revela como el Dios santo, al cual no se puede uno acercar de cualquier modo: debe quitarse las sandalias y cubrirse el rostro en señal de respeto. Es también el Dios que cumple las promesas hechas a los patriarcas.

Los versículos 7 al 11 hablan de la vocación y misión de Moisés, que van unidas; pero también revelan cuál es la naturaleza más íntima de Dios. En aquel tiempo había muchos dioses que eran adorados, pero ninguno había manifestado su esencia ni se había interesado por un puñado de esclavos.

Preguntas de reflexión

1. ¿Por qué el faraón no se interesa por las acciones de José?
2. ¿Qué nos dice la niñez de Moisés sobre la providencia de Dios?
3. ¿Por qué es importante el hecho de que Moisés conozca el nombre de Dios?

Oración final (ver página 15)

Haz la oración final ahora o después de la *Lectio divina*

Lectio divina (ver página 8)

Relájate y mantén una postura de oración (espalda recta, ojos cerrados, pies apoyados en el suelo). Este ejercicio puede durar cuanto gustes, pero en el contexto de este estudio bíblico, de 10 a 20 minutos deberían ser suficientes.

Las meditaciones que siguen se ofrecen para ayudar a los participantes a usar esta forma de oración, pero hay que considerar que la *Lectio* está pensada para conducirlos a un ambiente de contemplación orante, donde la Palabra de Dios habla al corazón de quien la escucha (ve la página 8 para más instrucciones).

Los descendientes de Jacob en Egipto (Éx 1:1-22)

Cuando Jesús nace, José y María lo tienen que llevar a Egipto para evitar la matanza de los inocentes, una orden dada por el rey Herodes cuando oyó que un rey había nacido en Belén. Este relato es paralelo a la historia de Moisés, que es salvado por la hija del faraón de Egipto. En ambos casos, Dios protege a los niños que tienen un destino particular en la historia de la salvación. Moisés iba a salvar al pueblo de la esclavitud de Egipto y Jesús traería la salvación para todo el mundo. En ambos casos, aceptar la salvación depende de la libre voluntad de cada uno.

✠ *¿Qué puedo aprender de este pasaje?*

La adopción de Moisés (Éx 2:1-10)

Hay un antiguo proverbio que dice "¿Quieres hacer reír a Dios? Cuéntale tus planes". La idea detrás de este adagio es que mucha gente hace planes y comienza a trabajar persiguiendo una meta solo para encontrarse años después en una situación muy diferente a lo que eran sus planes originales. Es una realidad que no solo trabajamos para conseguir un objetivo, sino que el tiempo y las situaciones de la vida nos configuran e incluso nos cambian.

Cuando Moisés era criado en la casa del faraón, nadie se imaginaba que su familiaridad con la vida de la corte le permitiría relacionarse con los líderes egipcios. Cuando Dios encuentra a Moisés en el desierto apacentando el rebaño, lo más probable es que él estuviera ya muy tranquilo con su nuevo estilo de vida, pero Dios "rio" y lo escogió a Moisés para llevar adelante la dolorosa tarea de dirigir al pueblo de Dios a la Tierra Prometida. Mucha gente puede mirar a su vida ahora y darse cuenta de que no es lo que planearon hace muchas décadas.

✠ *¿Qué puedo aprender de este pasaje?*

Moisés huye a Madián (Éx 2:11-22)

Así como José tendrá que huir de Belén con Jesús, ahora Moisés huye de Egipto. El paralelo continúa, mostrando cómo la intervención de los gobernantes como el faraón y el rey Herodes influyen en los eventos de la historia. Dios es el Dios de la historia, lo cual significa para nosotros que Dios se relaciona con nosotros en nuestra situación histórica personal. En la oración, nosotros hablamos a Dios acerca de nuestras necesidades y de las de nuestro mundo. El Dios de la historia toca nuestras vidas y las de los que están alrededor de nosotros en este mundo.

✠ *¿Qué puedo aprender de este pasaje?*

La zarza ardiente (Éx 2:23-3:15)

Dios se presenta a Moisés bajo la forma de una zarza ardiente y muestra su preocupación por el pueblo de Israel. En los Evangelios aprendemos acerca del continuo amor de Dios por todos cuando leemos "tanto amó Dios al mundo que dio a su Hijo unigénito, para que todo el que crea en él no perezca, sino que tenga vida eterna" (Jn 3:16). En ambos casos, Dios toma la iniciativa y viene a traer la salvación.

✠ *¿Qué puedo aprender de este pasaje?*

PARTE 2: ESTUDIO INDIVIDUAL (ÉX 3:16-7:7)

Día 1: Dios dirige la misión de Moisés (Éx 3:11-4:9)

Dios afirma que ha escuchado el clamor de su pueblo y en respuesta manda a Moisés para que lo saque de Egipto. Moisés pone una objeción: "¿Quién soy yo para ir al faraón y sacar de Egipto a los israelitas?". No es un rechazo de la misión, sino una súplica humilde, usada por un subalterno hablando con un superior. Para darle seguridad, Dios le dice que estará con él y que la señal de eso será que irán a esa montaña a dar culto a Dios.

Entonces Moisés presenta su segunda objeción, preguntando qué responderá cuando le interroguen acerca del nombre del Dios de sus antepasados. Los judíos habían estado en Egipto por largo tiempo y algunos habían comenzado a adorar a los dioses egipcios. Moisés quiere poder identificar al Dios que lo está enviando. Dios responde con una expresión que es muy difícil de traducir y a la que se le han dado muchas interpretaciones. Normalmente se traduce "Yo soy el que soy", y explica el nombre personal del Dios de Israel, *Yahvéh,* que está relacionado con el verbo *hayah,* que significa "ser", "existir" y a veces también "acontecer". Algunos consideran la respuesta una evasiva: no doy a conocer mi nombre, porque ninguna palabra lo podría expresar. Otros piensan que se trata de una afirmación de la trascendencia de Dios, como decir, "Yo soy el que existe verdaderamente y por sí mismo, no como los falsos dioses que no son ni pueden nada". Otros, finalmente, recuerdan que el verbo *hayah,* a diferencia del español *ser,* no designa la mera existencia, sino una presencia viva y activa; el significado en este caso sería "Yo soy el que está y estaré con ustedes para salvarlos".

El autor introduce aquí el nombre propio de Dios como si fuera la primera vez que aparece, pero sabemos que al inicio del Génesis fue usado, probablemente por la tradición Yahvista: "los hombres comenzaron a invocar a YHWH por su nombre" (Gn 4:26).

La tercera objeción de Moisés anticipa la incredulidad de los egipcios: el Señor le manda ir junto con los ancianos del pueblo al faraón para pedirle que les deje ir a sacrificar al desierto. Moisés pregunta: "¿Y si no me creen, ni escuchan mi voz?" (4:1). Para responder a sus dudas, Dios le da tres signos para que les demuestre que Dios le ha hablado: su bastón se convertirá en serpiente cuando lo tire al suelo; la piel de su mano se pondrá blanca como la nieve cuando la meta bajo el manto; y al derramar agua al suelo se convertirá en sangre (4:2-9).

Lectio divina

Dedica de 8 a 10 minutos a la contemplación silenciosa del siguiente pasaje:

El Señor prepara a Moisés para su visita al faraón dándole unos signos milagrosos como prueba de que YHWH está con él. Moisés aprenderá pronto que no importa cuántos milagros una persona pueda realizar, la gente tiene que estar abierta a aceptarlos. Jesús realizó muchos milagros en su vida y mucha gente se rehusó a aceptarlo. Nuestra aceptación de la presencia y bendición de Cristo depende de nuestra apertura a la presencia de Cristo en nuestra vida.

✠ *¿Qué puedo aprender de este pasaje?*

Día 2: Aarón hablará por Moisés (Éx 4:10-31)

Aparentemente convencido de los signos, Moisés presenta una cuarta objeción: declara que él no es bueno para hablar, pues es "torpe de boca y de lengua" (4:10). Cuando Dios le promete ayudarle a hablar, Moisés se obstina pidiendo que Dios mande a alguien más. El Señor se enoja con Moisés (una forma humana o antropomórfica de representar a Dios) y nombra a Aarón para que hable en su lugar. Dios le dice a Moisés que él será para Aarón "como Dios", indicando que así como Moisés es el portavoz de Dios, Aarón será el portavoz de Moisés. Esto sirve para afirmar la preeminencia de Moisés sobre Aarón, aunque este último sea el que hable.

Moisés se pone en camino a Egipto después de despedirse de su suegro y de que Dios le anuncie que han muerto los que buscaban matarle. A continuación tenemos uno de los textos más oscuros del Antiguo Testamento. En el camino, el Señor viene al encuentro de Moisés y trata de matarlo. Séfora, la mujer de Moisés, actúa rápidamente y con un pedernal corta el prepucio de su hijo y toca con él los pies de Moisés. "Pies" es un eufemismo, usado varias veces en la Biblia para referirse a los genitales. La pregunta que surge es ¿por qué el Señor querría matar a Moisés si solo está tratando de obedecerle? Parece que la respuesta está en que Moisés no cumplió la alianza entre Dios y Abrahán (Gn 15), que mandaba circuncidar a todos los varones. Solo la prontitud de Séfora salva a la familia. Al tocar a Moisés, ella realizó una "circuncisión vicaria", es decir la circuncisión hecha al hijo se aplicó simbólicamente a Moisés.

Lectio divina

Dedica de 8 a 10 minutos a la contemplación silenciosa del siguiente pasaje:

Aarón dirá al pueblo todo lo que Moisés le ordene decir y Moisés recibirá su mensaje del Señor. Cuando Aarón y Moisés se presenten al faraón, Dios seguirá diciéndoles lo que tienen que decir. En el Evangelio de Lucas leemos que Jesús les dice a sus discípulos que no se preocupen por su defensa cuando los arrastren ante las autoridades. Dice: "porque el Espíritu Santo les enseñará en aquel mismo momento lo que conviene decir" (Lc 12:12).

✠ *¿Qué puedo aprender de este pasaje?*

Día 3: La dura respuesta del faraón (Éx 5:1-6:1)

Después de reunirse con Aarón y el pueblo, Moisés se presenta ante el faraón para pedir que deje ir a los israelitas a celebrar una fiesta en honor de YHWH en el desierto. Se trataba de una petición mucho más modesta de lo que en realidad ellos querían, pero aun así la respuesta del faraón es muy dura. Acusándolos de perezosos, manda que no les den la paja que necesitan para hacer los ladrillos; ellos mismos se la tienen que procurar, pero el número de ladrillos requeridos seguirá siendo el mismo. Esto lleva a que la gente les recrimine amargamente a Moisés y Aarón, diciéndoles que solo han empeorado las cosas. El Señor confirma sus promesas de liberación de forma categórica, diciendo que los librará de la esclavitud y los llevará a la Tierra Prometida.

Lectio divina

Dedica de 8 a 10 minutos a la contemplación silenciosa del siguiente pasaje:

El faraón se rehúsa a aceptar al Dios de los hebreos y acusa a los israelitas de ser perezosos porque quieren ir a rezar. Quienes buscan buenas cosas en nombre del Señor son con frecuencia rechazados y juzgados. Jesús fue acusado de actuar en nombre de Beelzebul, el príncipe de los demonios, pero fue capaz de demostrar la insensatez de tal acusación. Por extraño que parezca, incluso las buenas acciones puede parecer que son egoístas para aquellos que rechazan a quien las hace.

✠ *¿Qué puedo aprender de este pasaje?*

Día 4: El cumplimiento de la promesa divina a los patriarcas (Éx 6:2-7:7)

El autor (probablemente el Sacerdotal [P]) coloca aquí una genealogía (6:14-6:27) para demostrar que los israelitas pertenecen al linaje de Jacob. La lista comienza con los dos primeros hijos de este, Rubén y Simeón, para mostrar que Leví era el tercer hijo de Jacob. El linaje de Leví seguía hasta Aarón y Moisés, que son los enviados por Dios para hablar con el faraón. Moisés actuará como Dios lo hace, comunicando a Aarón lo que debe decir y Aarón será como el profeta que habla en el nombre de Dios. El Señor endurecerá el corazón del faraón y juzgará duramente a Egipto. Por medio de estas acciones divinas, que conducirán a la salida de los israelitas de Egipto, los egipcios conocerán que el Dios de los israelitas es el Señor.

Lectio divina

Dedica de 8 a 10 minutos a la contemplación silenciosa del siguiente pasaje:

Moisés tenía en realidad buenas noticias para los israelitas, pero ellos no querían escucharlo. Jesús tenía buenas noticias para sus discípulos cuando les dijo que él era el pan de vida y que les iba a dar su carne como comida y su sangre como bebida. No entendieron que les estaba hablando del pan y vino eucarísticos que se volverían la verdadera presencia sacramental de su cuerpo y de su sangre. Muchos discípulos lo dejaron, los que se quedaron no entendieron, pero confiaron en que entenderían más tarde. Pedro pregunta en nombre de los que se quedaron, "Señor, ¿a quién vamos a ir? Tú tienes palabras de vida eterna" (Jn 6:68). La confianza en Dios, incluso en momentos de duda, lleva a la sabiduría.

✠ *¿Qué puedo aprender de este pasaje?*

LECCIÓN 7
La salida de Egipto
ÉXODO 7:8-15:21

Recuerda este día en que ustedes salieron de Egipto, de la esclavitud, pues con mano fuerte los sacó Yahvé de aquí (Éx 13:3).

Oración inicial (ver página 14)

Contexto

Parte 1: Éxodo 7:8-10:29. Aarón y los magos compiten haciendo milagros. Dios actúa, mostrando la superioridad de Aarón. Dios manda diez plagas: las aguas del Nilo se convierten en sangre; el país se llena de ranas; el polvo de la tierra se convierte en mosquitos; una nube de tábanos invade Egipto, pero evita la zona donde viven los judíos. Al llegar esta plaga el faraón parece aceptar la petición de Moisés, pero cuando este ora y los tábanos se retiran, el faraón vuelve a su obstinación. Después llega la quinta plaga, la cual hiere al ganado de los egipcios, pero respeta el de los israelitas. El señor manda la sexta plaga, que consiste en una pestilencia que llena de llagas. La séptima plaga fue un granizal que destruyó todo en la tierra de Egipto. Con la octava plaga un enjambre de langostas invadió el país; la novena consistió en una oscuridad que cubrió Egipto por tres días.

Parte 2: Éxodo 11:1-15:21. Como el faraón no cedió, Dios anunció la muerte de los primogénitos de los egipcios como última y definitiva plaga. Para prepararse para la liberación e indicar al ángel exterminador cuáles eran las casas judías, el Señor ordenó celebrar la Pascua, señalando los dinteles de las casas con sangre del cordero pascual. Los israelitas salen de Egipto con la presencia del Señor que les acompaña bajo forma de columna de fuego por la noche y de nube durante el día. Los egipcios los persiguen, pero los israelitas logran cruzar el Mar Rojo, que Moisés dividió con el poder de Dios. Los egipcios perecen al retornar las aguas a su lugar. Moisés, el pueblo y María, hermana de Moisés, elevan un canto de alabanza por la liberación.

PARTE 1: ESTUDIO EN GRUPO (ÉX 7:8-10:29)

Las diez plagas. Las primeras nueve plagas pueden haber sido fenómenos naturales que se daban ocasionalmente en Egipto. Para el escritor sagrado, sin embargo, la sincronización de estos eventos con la intervención de Aarón y Moisés es milagrosa y está pensada para ser un signo que convenza al faraón. La finalidad de la narración no es proporcionar información científica, sino transmitir la certeza de que la liberación de Israel fue llevada a cabo por Dios de una forma milagrosa y con gran poder, venciendo al hombre y al imperio.

Primera plaga: el agua convertida en sangre (Éx 7:8-24)

Moisés y Aarón vuelven a presentarse al faraón y prueban la autenticidad de su llamada convirtiendo el bastón en serpiente, pero los consejeros del faraón logran hacer lo mismo. La serpiente de Aarón se come a las otras, pero el faraón se rehúsa a dejarlos ir. El texto quiere mostrar cómo el faraón se va endureciendo cada vez más, obligando a Dios a demostrar su poder de forma más espectacular cada vez. Dios había dicho que "por una mano fuerte" (6:1) el faraón los dejará ir.

Algunos autores piensan que esta parte del pasaje proviene del autor sacerdotal, dado que favorece a Aarón, miembro del linaje sacerdotal de Leví. De hecho, el pasaje presenta un poco de confusión, pues en el v. 15 Dios manda a Moisés salir al encuentro del faraón, llevando el bastón; en el v. 17 Moisés anuncia que el agua se convertirá en sangre cuando la toque con el bastón. Sin embargo en el v. 19 Dios dice a Moisés que le diga a Aarón que extienda el brazo sobre los ríos, arroyos y lagunas. Estos cambios pueden proceder de que tengamos aquí dos distintas tradiciones o simplemente se narra un mismo hecho desde distintas perspectivas. Los magos del faraón hicieron el mismo milagro, por lo que el faraón se fue, obstinado en su decisión. Algunos comentaristas también hacen notar que el Nilo se vuelve de color rojo algunas veces a causa de partículas, polvo o bacterias que contaminan el agua y hacen que ya no se pueda tomar.

Segunda y tercera plagas: ranas y mosquitos (Éx 7:25-8:15)

Después de siete días, el Señor manda de nuevo a Moisés a decirle al faraón que, si no deja ir a Israel, mandará una plaga de ranas, lo cual sucede puntualmente. De nuevo, los magos logran hacer lo mismo con sus artes. El faraón pide a Moisés y Aarón que se las quite, lo cual hacen. Apenas se vio libre de la plaga, el corazón del faraón se endureció de nuevo. Es interesante notar que, aunque los magos sean capaces de reproducir el milagro, el faraón no recurre a ellos, sino a Moisés para que lo libre de ellas.

El señor le dice a Moisés que mande a Aarón extender el bastón y convertir el polvo en mosquitos, lo cual sucede. Esta vez los magos no lograron imitarlo y tienen que reconocer que ahí estaba la mano de Dios. El faraón, sin embargo, se obstina en su cerrazón. Se ve que hay un "crescendo" en el texto: los magos fueron capaces de imitar las anteriores plagas, pero en esta ya no pueden hacer nada. La mano y el poder de Dios se van haciendo cada vez más evidentes. Sin embargo el faraón, por el contrario, se cierra más y más.

Cuarta, quinta y sexta plagas: tábanos, muerte del ganado y úlceras (Éx 8:16-9:12)

Cuarta plaga. De forma parecida a la segunda plaga, de la que esta es casi una repetición, enjambres de moscas o tábanos invaden Egipto (solo Goshén, donde viven los judíos, se libra) y el faraón cede en apariencia a la petición de Moisés. Este intercede y los tábanos se retiran, pero el faraón no cumple su palabra, no obstante que Moisés le haya prevenido que no usara engaños con ellos (v. 25). Una vez más se subraya el endurecimiento del faraón.

La quinta plaga consiste en la muerte de todo ganado de los egipcios, mientras que el de los judíos se salva. El faraón sigue obstinado.

En la sexta plaga, el Señor manda a Moisés y Aarón recoger un puñado de hollín del horno y lanzarlo al aire, donde se convertirá en polvo que caerá sobre animales y gente produciéndoles llagas y úlceras. Los magos no solo no pueden hacer algo igual, sino que son también infectados. El Señor endurece el corazón del faraón (v.12). Esta frase, repetida en 10:20 y 27, no indica que Dios haya causado directa y maliciosamente el endurecimiento del faraón, está puesta más bien para subrayar cómo, al final, todo lo que sucede en Egipto es resultado de que YHWH es y está presente ahí.

Séptima plaga: granizo (Éx 9:13-35)

La séptima plaga es la descrita con más detalle de las nueve y contiene una especie de explicación de todas las plagas en los vv. 14-16. No hay que olvidar que el número siete tenía un valor simbólico importante entre los judíos. En esta plaga, por primera vez, pierden la vida egipcios. La plaga consiste en una tormenta terrible. La descripción de la misma, más que querer hablar de un fenómeno natural, quiere presentar uno sobrenatural; la tormenta, los truenos y relámpagos parecen acompañar más bien una aparición divina. Moisés subraya, ante el faraón, que toda la tierra es del Señor. Otra novedad en este texto es que el faraón reconoce su culpabilidad y la de su pueblo (v. 27). Promete de nuevo dejarlos ir, pero apenas ve que la lluvia y el granizo cesan, vuelve a prohibirles partir.

Octava plaga: langostas (Éx 10:1-20)

La octava plaga es introducida por Moisés con una nueva exhortación al faraón para que deje salir al pueblo. Esta vez aparece una novedad: los ministros del faraón que intervienen comienzan a exasperarse, no por los judíos, sino por la suerte de Egipto. El faraón parece acceder, pero lo hace parcialmente, pues solo quiere dejar ir a los varones, acusándolos de malas intenciones. Esto causa la aparición de la plaga. Otra vez, el faraón reconoce su pecado cuando ve los efectos de la plaga y pide la intercesión de Moisés y Aarón. Una vez pasada la plaga, de nuevo el faraón se endurece. La humillación y el arrepentimiento del faraón no llevan a ninguna parte porque él no cambia de actitud. La repetición de que "el Señor hizo que el faraón se endureciera" subraya lo ilógico de su postura después de todas las muestras de poder por parte de Dios. Parecería que solo se puede explicar si Dios mismo lo hizo.

Novena plaga: tinieblas (Éx 10:21-29)

La novena plaga consiste en densas tinieblas que cubren a Egipto. Esta vez el faraón cede un poco más, dejando ir también a los niños (con ocasión de la plaga anterior solo pretendía dejar ir a los varones). Moisés mantiene sus exigencias: tienen que poder salir todos: hombres, mujeres y niños, y todo el ganado. Las últimas palabras del diálogo entre Moisés y el faraón anuncian el final de esta serie de prodigios, el cual tendrá lugar con la muerte de los primogénitos.

Preguntas de reflexión

1. ¿De las primeras cuatro plagas, cuál te parece la peor?
2. ¿Cuál de las plagas de la quinta a la novena consideras la peor? Explica por qué.
3. ¿Cuál es la razón que dio el faraón para no dejar salir a los israelitas de Egipto?

Oración final (ver página 15)

Rece la oración final ahora o al final de la *Lectio divina*.

Lectio divina (ver página 8)

Relájate y mantén una postura de oración (espalda recta, ojos cerrados, pies apoyados en el suelo). Este ejercicio puede durar cuanto gustes, pero en el contexto de este estudio bíblico, de 10 a 20 minutos deberían ser suficientes.

Las meditaciones que siguen se ofrecen para ayudar a los participantes a usar esta forma de oración, pero hay que considerar que la *Lectio* está pensada para conducirlos a un ambiente de contemplación orante, donde la Palabra de Dios habla al corazón de quien la escucha (ve la página 8 para más instrucciones).

La primera plaga (Éx 7:8-24)

Aarón toma su bastón y extiende sus manos sobre las aguas, y toda el agua de la región se convierte en sangre. En el Evangelio de san Juan, Jesús convierte el agua en vino en las bodas de Caná, y este evento está relacionado con su pasión. Una vez que Jesús realiza este milagro, comienza el viaje hacia su muerte y resurrección, al que él se refiere como a su "hora" (cf. Jn 2:1-11). Más adelante, Jesús tomará el vino en la última cena y declarará "Esta copa es la nueva Alianza en mi sangre, que se derrama por ustedes" (Lc 22:20). El milagro que Dios realiza por medio del gesto de Aarón está muy lejos del don milagroso de la sangre de Jesús dado a nosotros en la Eucaristía.

✠ *¿Qué puedo aprender de este pasaje?*

Ranas y mosquitos (Éx 7:25-8:15)

La tercera plaga convence a los magos de que las plagas vienen de la mano de Dios y no de algún tipo de magia. Jesús realizó muchos milagros en su vida que convencieron a algunas personas de que él era realmente Hijo de Dios, pero a pesar de estos milagros, muchos se rehusaron a creer en él. Cuando Jesús murió, el velo del Templo se rasgó de arriba abajo, la tierra tembló, las piedras se partieron y cadáveres salieron de las tumbas. Los soldados romanos que lo habían insultado y se habían burlado de él pocas horas antes, proclaman en medio de todo ese caos: "Verdaderamente este era hijo de Dios" (Mt 27:54). Para ellos estos eventos portentosos no eran una coincidencia o magia. Para la gente de fe, la providencia y milagros divinos pueden aún ocurrir, así como han ocurrido en las vidas de muchos santos.

✠ *¿Qué puedo aprender de este pasaje?*

Las moscas cubren Egipto (Éx 8:16-28)

A pesar de los milagros y plagas que demuestran claramente la presencia de un poder sobrenatural, el faraón se rehúsa a creer. No importa lo que Dios haga, el faraón nunca será capaz de ver la mano de Dios. En el Evangelio de san Mateo, nos encontramos que Jesús no ayuna como hacen los fariseos, de forma que ellos lo ven como un glotón y borracho. Juan Bautista era un asceta que ayunaba y evitaba beber vino, así que lo juzgaban como poseído por un demonio. Jesús sabía que ellos rechazarían cualquier cosa que Dios mandara para convencerlos de la verdad de su mensaje y dice: "Les hemos tocado la flauta, y no han bailado. Les hemos entonado canciones tristes, y no se han lamentado" (Mt 11:17). Igual que el faraón, cerraron sus mentes a los dones milagrosos de Dios.

✠ *¿Qué puedo aprender de este pasaje?*

De la quinta a la décima plaga (Éx 9:1-11:10)

A lo largo de la historia de la salvación, Dios manda profetas como Moisés y Aarón al pueblo en su nombre. Jesús manda a sus apóstoles y discípulos a extender su mensaje y muchos de ellos verán ese mensaje rechazado, exactamente como pasó a Moisés y Aarón. En el Evangelio de Lucas, Jesús manda a los doce con el poder de realizar grandes obras y extender su mensaje del Reino de Dios. Jesús les dice que acepten la acogida que les brinden y que sacudan de sus sandalias el polvo de los lugares donde no los reciban (cf. Lc 9:6). Los discípulos de Jesús encontrarán siempre gente que acepte el mensaje de Jesús y gente que se rehúse a escucharlo.

✠ *¿Qué puedo aprender de este pasaje?*

PARTE 2: ESTUDIO INDIVIDUAL (ÉX 11:1-15:21)

Nota: en esta ocasión, el estudio individual no contempla ejercicios de *Lectio divina*.

Día 1: Anuncio de la muerte de los primogénitos (Éx 11:1-10)

El capítulo 11 está consagrado a preparar lo que sucederá con la última plaga. En los vv. 1-3 el Señor comunica a Moisés que va a mandar una última plaga la cual hará que el faraón, no solo los deje ir, sino que los eche de Egipto. También narra cómo todos los egipcios se pondrán de su lado y les darán todo tipo de regalos. Esto sirve para poner de relieve la terquedad del faraón.

En los vv. 4-9 se cuenta la entrevista de Moisés con el faraón en la que le avisa de la plaga que está por llegar y le anuncia que después de ella les rogarán que se vayan de Egipto.

Día 2: La Pascua (Éx 12:1-28)

Después del anuncio de la última plaga no tenemos la ejecución de la misma, como sucede en los otros nueve casos, sino que el relato es interrumpido por las instrucciones que el Señor da a Moisés y Aarón para la celebración de la Pascua. La fiesta misma se celebraba ya antes de la salida de Egipto, pero la experiencia del Éxodo le da un nuevo significado. Antiguamente se trataba de una celebración de pueblos nómadas que pastoreaban sus rebaños. Los pastores acostumbraban sacrificar un animal de sus ganados la víspera de su partida hacia nuevos pastos y pintaban los palos de la tienda con la sangre del cordero sacrificado. El gesto servía para invocar la protección contra los malos espíritus y para asegurar la multiplicación sana del rebaño. En este texto se cambian "los palos" de la tienda por las jambas o dinteles de la casa, para adaptarla a las circunstancias de los israelitas en Egipto. El "exterminador" –referencia a los malos espíritus– "saltó" las casas que estaban marcadas con la sangre. Ese podría ser uno de los sentidos etimológicos de la palabra hebrea "pésaj": saltar, andar dando saltos.

La tradición religiosa de Israel unió también otra celebración propia de tribus sedentarias dedicadas al cultivo del cereal, la fiesta de los panes ázimos. Al inicio de una nueva cosecha tiraban todo lo que estuviera fermentado y consumían tortas sin levadura o ázimas, mientras se adquiría el nuevo fermento para la masa. Ambas fiestas se unen en Israel adquiriendo un nuevo significado o referente: la acción liberadora del Señor en favor de su pueblo.

En los vv. 20-28 Moisés repite las instrucciones a los ancianos del pueblo y les da la orden de celebrar la Pascua de generación en generación, incluso una vez que hayan entrado a la Tierra Prometida. Los judíos deben transmitirla a las nuevas generaciones, manteniendo viva la memoria de la salvación traída por el Señor.

Día 3: La muerte de los primogénitos (Éx 12:29-36)

Se retoma la narración interrumpida por las prescripciones sobre la Pascua. El texto pone de relieve el clamor de los egipcios, recordando el clamor de los hebreos en 3:7. Sin embargo, en 3:7, el Señor intervino a favor de los oprimidos, mientras que aquí el clamor que se escucha en Egipto tiene como única respuesta la decisión del faraón de expulsar a los israelitas.

¿Cómo hay que entender la muerte de los primogénitos? El "primogénito" tiene desde la antigüedad un valor simbólico: indica la esperanza y posibilidad para la vida (humana y animal) de continuar, expandirse, prolongarse. Acabar con un primogénito significa terminar con la posibilidad de la estirpe de perpetuarse. Egipto, como símbolo de opresión y muerte, es un sistema que no puede transmitir vida, está destinado a desaparecer porque lleva dentro de sí las semillas de la muerte.

Los autores bíblicos ponen esta acción directamente en las manos de Dios porque para ellos, siendo él omnipotente, nada puede escapar a su control, ni vida ni muerte, ni bien ni mal. La conciencia del pueblo, guiada por Dios mismo, va superando poco a poco esta peligrosa ambigüedad.

Moisés guía al pueblo hacia el sureste, a un lugar llamado Sucot. El autor afirma que "eran como seiscientos mil hombres" y eso sin contar mujeres y niños, lo cual daría un número más allá de un millón de personas. Los números están sin duda exagerados, pues una cantidad tan grande de personas, con sus animales, no hubieran podido cruzar el Mar Roja en una noche. La finalidad del autor es mostrar cómo el pueblo, que estaba formado por una familia de 70 personas cuando Jacob bajó a Egipto, había sido bendecido enormemente por Dios.

Día 4: El rito de la Pascua (Éx 12:43-13:16)

Otra vez unas leyes sobre la Pascua interrumpen el relato de la salida de Egipto. Estas leyes contienen ciertas restricciones que nos hacen comprender que pertenecen a una época diferente, cuando Israel ya habitaba en Canaán, donde convivía con extranjeros y esclavos. Ningún extranjero deberá comer del animal sacrificado si no está circuncidado. El cordero no debe ser sacado de la casa donde se está comiendo, ni se le quebrará ningún hueso. Los comentaristas verán posteriormente en esto una referencia a Jesús, el Cordero de Dios, cuyos huesos no fueron rotos en la cruz. Es una celebración comunitaria, por tanto, toda la comunidad la celebra al mismo tiempo.

Los versículos 5-16 repiten algunas prescripciones mencionadas antes: vv. 5-10 acerca de los panes ázimos (cf. 12:15-20), explicándolo como motivado por la prisa en salir de Egipto y con el valor simbólico de recordar en el presente lo que Dios hizo entonces por los israelitas; vv. 11-16 repiten lo dicho en 13:1-4 sobre los primogénitos, pero con la novedad de que hay que rescatar a la primera cría del asno, de lo contrario habría que desnucarla. El asno era animal impuro, que no se podía sacrificar, por lo que era necesario sustituirlo o hacerlo desaparecer sin derramar su sangre.

Día 5: La experiencia del Mar Rojo (Éx 13:17-15:21)

En Éxodo 13:17-22 se narra la partida hacia el Mar Rojo y cómo el Señor no los guio por el camino más corto (el que sigue la costa y era tierra de filisteos), sino que los hizo caminar hacia el Mar Rojo. Salieron de Egipto formados como un ejército, llevando los huesos de José y acompañados por el Señor, de día, bajo forma de nube; de noche, bajo forma de columna de fuego. Se trata de una imagen de su presencia y protección misteriosas, pero seguras y poderosas.

Los versículos 14:1-31 relatan el paso del Mar Rojo. La primera parte (vv. 1-14) presenta al Señor conduciendo las estrategia de marcha. Él les manda acampar en Fejirot y Migdal para confundir al faraón; él mismo hace que se endurezca el corazón del monarca (4-8) y decida perseguir al pueblo (5.8) con el fin de mostrarle quién es el más poderoso (4). El miedo asalta a los israelitas cuando ven a los egipcios acercarse (10-12). Moisés los exhorta a no tener miedo (13), porque el Señor peleará por ellos (14).

Los versículos 15-18 son la respuesta del Señor a los miedos del pueblo y la confirmación de lo que Moisés había dicho. YHWH anuncia que va a intervenir por medio de Moisés, al que ordena extender el brazo sobre el mar. La destrucción del faraón servirá para mostrar la gloria del Señor.

La realización de las palabras del Señor es referida en los vv. 19-31. La finalidad de la narración es subrayar que la liberación de Egipto es un evento realizado por el Señor, a quien pertenece toda la gloria. El texto contiene numerosos embellecimientos literarios. No se trata, desde luego, de un relato histórico en el sentido moderno de la palabra, sino de una relectura desde la fe de los acontecimientos históricos que permitieron a Israel liberarse del poder del faraón. Israel vuelve sobre estos acontecimientos en distintos momentos de su historia y descubre que si en el pasado Dios ha combatido por el pueblo esclavizado para liberarlo, también puede hacerlo en el presente, incluso con signos y prodigios más espectaculares.

El hecho de que la batalla final se dé en el mar y que en la escena final los egipcios sean engullidos por las aguas del mismo tiene un valor simbólico. El mar era para los israelitas imagen de un poder misterioso e incontrolable. Sin embargo, en este episodio, por el poder de Dios, el mar se abre para dejar pasar a Israel y se cierra para engullir a sus enemigos. El Señor es el único que puede vencer y dominar ese poder inmenso y misterioso. Las obras maravillosas de Dios provocan admiración.

El pasaje se cierra con un poema atribuido a Moisés en el que se canta la gloria del Señor triunfante que ha arrojado a caballos y jinetes al mar (15:1-19). Este poema es uno de los textos más antiguos de la Biblia y algunos autores piensan que los elementos más antiguos del mismo se podrían colocar en un tiempo muy cercano al evento mismo. María aparece en este pasaje con una pandereta en la mano, dirigiendo a las mujeres en un baile, mientras canta una alabanza al Señor por su triunfo maravilloso.

Día 6: La Pascua (Éx 12:1-50)

En el Evangelio de san Mateo leemos que los discípulos de Jesús comenzaron los preparativos de la cena de Pascua el primer día de los panes ázimos. Jesús los manda a la ciudad con las instrucciones para ello, diciéndoles que vayan a la casa de una cierta persona para comunicarle que ahí iba a celebrar la Pascua con sus discípulos. En la cena pascual, Jesús dice sobre el pan: "tomen y coman, esto es mi cuerpo" y sobre el vino: "tomen y beban todos de él, porque esta es mi sangre, sangre de la alianza que será derramada por muchos para el perdón de los pecados". Jesús es el nuevo cordero sacrificial que introduce la Nueva Alianza en su cuerpo y sangre. Para los cristianos, una nueva Pascua ha comenzado.

Día 7: La dedicación del primogénito (Éx 13:1-16)

Para cumplir la ley de Moisés, que manda consagrar todo varón primogénito al Señor, María y José llevan al niño Jesús al Templo. María y José ofrecen "un par de tórtolas o dos pichones" (Lc 2:24), oferta hecha ordinariamente por los pobres. De esa manera, muestran que son una pareja de judíos piadosos y obedientes, atentos a cumplir las prescripciones de la ley mosaica.

Día 8: La experiencia del Mar Rojo (Éx 13:17-15:21)

Dios guio a los israelitas al Mar Rojo y abrió para ellos un camino en medio de él de forma milagrosa. Él los guiaba por medio de una nube de día y de una columna de fuego durante la noche. En el Evangelio de san Juan, cuando Jesús se prepara para su muerte, promete mandar a los discípulos a alguien para que les ayude y guíe, el Espíritu de la verdad. Mientras que el pueblo del Antiguo Testamento tenía una columna de fuego y nube para guiarlos, el pueblo del Nuevo Testamento tendrá un Abogado, el Espíritu de verdad. El Espíritu que Jesús promete enviar abrirá un camino para la Iglesia a través de la historia. Como nuestro guía y ayuda, el Espíritu Santo abrirá un camino a través de la vida para cada uno de nosotros que permanezca fiel a Dios.

Preguntas de reflexión

1. ¿Qué podemos aprender de la Pascua judía?
2. ¿De qué manera enriquece este evento la comprensión de nuestra celebración cristiana de la Pascua?

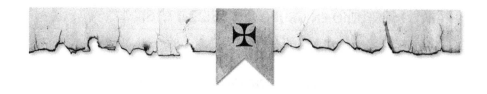

Los Diez Mandamientos

ÉXODO 15:22-40:38

Ahora, pues, si de veras me obedecen y guardan mi alianza, serán mi propiedad personal entre todos los pueblos, porque mía es toda la tierra; serán para mí un reino de sacerdotes y una nación santa (19:5-6)

Oración inicial (ver página 14)

Contexto

Parte 1: Éxodo 15:22-17:16. Comienza la marcha por el desierto. En Mará, Moisés vuelve potable el agua amarga de un manantial. Mientras cruzan el desierto de Sin, el pueblo murmura contra Moisés y Aarón por la falta de carne; Dios les manda el maná. Al llegar a Refidim se quejan de la falta de agua y Moisés, por orden de Dios, golpea una roca de la que sale agua. Moisés llamó al lugar Masá y Meribá. Ahí mismo los amalecitas los atacan, pero los israelitas, guiados por Josué y sostenidos por la oración de Moisés, vencen la batalla.

    Parte 2: Éxodo 18:1-40:38. Jetró visita a Moisés y le aconseja que nombre jueces que le ayuden con la administración de la justicia al pueblo. Al llegar al Sinaí, YHWH se aparece a Moisés y habla con él delante del pueblo. El Señor hace una alianza con Israel y les manda observar los Diez Mandamientos. Los israelitas sienten temor de Dios, que les manda hacer un altar para que le ofrezcan ahí los sacrificios.

PARTE 1: ESTUDIO EN GRUPO (ÉX 15:22-17:16)

Lee en voz alta Éxodo 15:22-17:16

Marcha por el desierto (Éx 15:22-16:36)

Apenas retoman el camino por el desierto, los israelitas encuentran las primeras dificultades. Después de tres días de marcha no consiguen encontrar agua, elemento fundamental para la sobrevivencia, especialmente en el desierto. Llegan a un lugar donde encuentran agua, pero esta no es potable y se comienzan a quejar de Moisés. Este pide ayuda a Dios, quien le muestra un arbusto. Moisés lo echa al agua y esta se vuelve potable.

La segunda causa de las quejas viene porque no tienen qué comer, a lo cual YHWH responde enviándoles el maná por la mañana y codornices por la tarde. Moisés les ordena, de parte de Dios, que no recojan más de lo que necesitan para el día. Solamente el sexto día recogerán para dos días porque el séptimo día no habrá nada. El pasaje termina con una orden de Dios, trasmitida por Moisés, de conservar una cantidad del maná para que sirva de recuerdo a las futuras generaciones de lo que el Señor había hecho por ellos (16:1-36).

En este pasaje se resalta, por un lado, la continua murmuración del pueblo contra Moisés (se menciona cinco veces este murmurar y tres veces se le identifica como murmuración contra YHWH), y por otra, se pone de relieve la incesante presencia y actuación de Dios a favor de su pueblo. El hecho mismo de las instrucciones sobre cómo recoger la ración diaria y sobre la observancia del Sábado quieren subrayar esa presencia providente y cotidiana de Dios como don para Israel. Dios les proporciona alimento para el cuerpo con el maná y las codornices, y para el alma con el Sábado.

Agua de la roca y lucha contra los amalecitas (Éx 17:1-16)

La primera parte del capítulo (vv. 1-7) narra cómo el pueblo de Israel salió al desierto de Sin y llegó a Refidim. Ahí no encontraron agua y comenzaron a reclamarle de nuevo a Moisés, quien se queja con Dios. YHWH le manda golpear la roca y le anuncia que hará brotar agua de la misma. Sucede como el Señor anunció a Moisés y llamó al lugar *Meribá*, que en hebreo significa "pleito", y también *Masá* (hebreo por "prueba" o "proceso").

La segunda parte (vv. 8-15) contiene el relato de la batalla contra los Amalecitas. Moisés instruye a Josué para que les salga al encuentro con algunos hombres, mientras él sube a la montaña con el bastón de Dios en la mano. Mientras Moisés tenía las manos levantadas, ganaba Israel; cuando se cansaba y las bajaba, Amalec tomaba la ventaja. Con la asistencia de Aarón y Hur, Moisés logró mantener los brazos levantados hasta la puesta del sol y de este modo Israel derrotó a los amalecitas.

Los dos episodios subrayan que la subsistencia de Israel ha dependido solo de YHWH. Él es quien les ha dado bebida en el desierto y fuerza para derrotar al enemigo.

Preguntas de reflexión

1. Qué nos dice la respuesta de Dios a las quejas de los israelitas sobre la imagen de Dios que encontramos en estos capítulos?
2. ¿Puedes encontrar en nuestro mundo a gente que se parezca a los israelitas que añoraban las ollas de carne de Egipto? Explícalo.

Lectio divina (ver página 8)

Relájate y mantén una postura de oración (espalda recta, ojos cerrados, pies apoyados en el suelo). Este ejercicio puede durar cuanto gustes, pero en el contexto de este estudio bíblico, de 10 a 20 minutos deberían ser suficientes.

Las meditaciones que siguen se ofrecen para ayudar a los participantes a usar esta forma de oración, pero hay que considerar que la *Lectio* está pensada para conducirlos a un ambiente de contemplación orante, donde la Palabra de Dios habla al corazón de quien la escucha (ve la página 8 para más instrucciones).

Marcha por el desierto (Éx 15:22-16:36)

Poco tiempo después de que la marcha comenzara, los israelitas están ya acusando a Moisés de poner en peligro sus vidas con la falta de comida y bebida. En el Evangelio de san Mateo, Jesús enfrenta una tentación semejante. Había ayunado por cuarenta días y cuarenta noches, y estaba hambriento. El tentador viene a él y le propone que, ya que es el Hijo de Dios, ordene que las piedras del desierto se convirtieran en pan. Ahí donde los israelitas permitieron a su hambre que los tentara y gritaron contra Dios, Jesús se rehúsa a forzar el plan de Dios cambiando las piedras en pan solo para aliviar su hambre. A diferencia de los israelitas, Jesús vence la tentación y muestra su confianza en Dios cuando dice, "No solo de pan vive el hombre, sino de toda palabra que sale de la boca de Dios" (Mt 4:4). Donde los israelitas fallaron, Jesús triunfó.

✠ *¿Qué puedo aprender de este pasaje?*

Agua de la roca (Éx 17:1-16)

A causa de la testarudez de los israelitas, Dios se enoja con ellos. Esa disputa se volvió la fuente de inspiración para el salmo 95 que advertirá más tarde a los israelitas: "No sean tercos como en Meribá, como el día de Masá en el desierto, allí sus padres me probaron, me tentaron aunque vieron mis obras. Cuarenta años me asqueó esa generación y dije: Son gente de mente desviada, que no reconocen mis caminos. Por eso juré en mi cólera: ¡No entrarán en mi reposo!" (Sal 95:8-11).

✠ *¿Qué puedo aprender de este pasaje?*

PARTE 2: ESTUDIO INDIVIDUAL (ÉXODO 18:1-40:38)

Día 1: Moisés y Jetró organizan al pueblo (Éx 18:1-27)

El capítulo 18 refiere dos episodios de la visita que el suegro de Moisés, Jetró, hace al campamento de Israel. Esta reunión es importante porque Jetró es presentado como sacerdote de Madián (Éx 2:1) y Madián es un hijo de Abrahán y su segunda esposa, Queturá (cf. Gn 25:2). Se puede decir que las dos ramas de la familia se reúnen justo antes de la Alianza.

Jetró llega al campamento acompañado por la esposa e hijos de Moisés, quien los recibe y cuenta a su suegro todo lo que YHWH ha hecho por ellos desde la liberación de Egipto. Jetró alaba a YHWH y ofrece un sacrificio en su honor.

A la mañana siguiente, Jetró es testigo de cómo Moisés se pasa el día atendiendo a la gente que viene a exponerle sus problemas y le propone que escoja hombres aptos y que los haga responsables de grupo (de millar, de centenar, de cincuentena y de decena) para que le ayuden en la administración de la justicia. Moisés sigue su consejo.

Lectio divina

Dedica de 8 a 10 minutos a la contemplación silenciosa del siguiente pasaje:

Podría pasar desapercibida fácilmente la necesidad de Moisés de organizar en grupos más pequeños al numeroso grupo que está guiando, de manera que los conflictos puedan ser juzgados y las preocupaciones expresadas. En el Evangelio de Lucas, Jesús alimenta a 5,000 hombres y, muy probablemente, muchas más mujeres y niños. Para hacer la situación más manejable, Jesús les dice a sus discípulos que los hagan sentarse en grupos de cincuenta. Una buena organización permite un mejor servicio. La administración es un ministerio en la Iglesia.

✠ *¿Qué puedo aprender de este pasaje?*

Día 2: La gran manifestación de YHWH en el Sinaí (Éx 19)

Este capítulo se puede dividir en dos partes. Al inicio tenemos una doble introducción al evento más importante del Éxodo e incluso de todo el Antiguo Testamento: la experiencia del Sinaí. En primer lugar, hay una introducción a toda la sección (19:1-20:21) en la forma de un resumen que YHWH hace de todas sus acciones realizadas en favor de Israel y de su proyecto de hacerlo su pueblo si lo obedecen (vv. 1-6). Se ponen de relieve varios aspectos: la Alianza se basa en la iniciativa salvadora de Dios; de ellos se espera obediencia observando la ley de la Alianza; dicha obediencia será premiada con una mayor cercanía a Dios; esta cercanía beneficiará a todas las naciones, pues Israel funcionará como reino de sacerdotes. En segundo lugar, se narra la preparación de Israel para el encuentro con Dios (vv. 7-15). Dios es el Santo y el pueblo no se debe atrever a ir a su encuentro, si no es completamente puro. Estas dos introducciones sirven para dejar claro que todo lo que Dios ha hecho antes y lo que ha pasado ha sido en función de este momento.

La segunda parte (vv. 16-25) describe la teofanía (manifestación divina) en el Sinaí. Relámpagos, truenos, nube y sonido de trompetas son los signos de la presencia de Dios. Son imágenes que tratan de expresar lo inexpresable: el poder y la santidad de Dios. El pueblo se llena de temor y Moisés los guía fuera del campamento hasta el pie de la montaña. YHWH baja a la cima y Moisés sube a su encuentro. El pueblo recibe la orden de no subir a la montaña.

Lectio divina

Dedica de 8 a 10 minutos a la contemplación silenciosa del siguiente pasaje:

En la Biblia, una montaña es con frecuencia el lugar donde Dios se encuentra con los seres humanos. En el monte Sinaí, Dios habla a Moisés y le permite experimentar su gloria. En el Evangelio de san Mateo, Jesús escoge a Pedro, Santiago y Juan para que presencien su transfiguración, cuando su apariencia brilló como el sol (ver Mt 17:1-8). Estos eventos no sucedieron solo para quienes fueron testigos, sino para toda la gente que lee la Escritura y descubre a través de ellos el amor y cuidado que Dios tiene por la creación. Moisés fue el mediador, pero la visitación fue para Israel, el pueblo elegido. Honramos a los que nos traen el mensaje de Dios, pero tenemos que recordar que el mensaje nos es dado para que lo hagamos parte de nuestras vidas.

✠ *¿Qué puedo aprender de este pasaje?*

Día 3: Los Diez Mandamientos (Éx 20:1-17)

Este texto está en el centro de la narración que es el corazón del Antiguo Testamento. Es el único discurso dirigido por YHWH mismo a su pueblo, en el que él establece los principios fundamentales para vivir en relación con él. De todas las leyes se dice que fueron dadas por Dios a Moisés, pero solo de los Diez Mandamientos se dice que él los escribió. Esto nos revela su importancia y autoridad. El Decálogo (en hebreo "las diez palabras") comienza con la afirmación de que YHWH ha querido convertirse en el Dios de Israel. El primer mandamiento sigue a esta afirmación requiriendo de ellos, que han sido los depositarios de su don, una lealtad incondicional. Dicha lealtad es el fundamento de los nueve mandamientos siguientes.

Existen diversas formas de dividir los mandamientos. En la Iglesia Católica tradicionalmente se considera que el primer mandamiento abarca los vv. 3-6 y el v. 17 se divide en dos mandamientos. El decálogo contiene dos secciones. Los primeros tres mandamientos hablan de los deberes para con Dios y son los que están más explicados. Los restantes tienen que ver con las relaciones con el prójimo. El hecho de que el cuarto, honrar al padre y a la madre, encabece la segunda sección, no es casualidad: la autoridad de los padres refleja la autoridad de Dios. Los mandamientos de esta sección están ordenados del más grave (matar) al más leve (desear).

Los versículos 1-21 del capítulo 20 describen de nuevo el temor del pueblo ante las manifestaciones de la presencia de Dios.

En los versículos 22-26 del mismo capítulo, Dios repite la orden de no hacer ídolos y da la indicación de construirle un altar para ofrecerle ahí los sacrificios y da instrucciones de cómo debe ser construido: de piedra no tallada y sin escalones.

Lectio divina

Dedica de 8 a 10 minutos a la contemplación silenciosa del siguiente pasaje:

Dios dio los mandamientos a los israelitas para ayudarles a discernir lo que es pecaminoso o dañino contra la comunidad. Jesús construye sobre los mandamientos al subir a una montaña y decirles a sus discípulos qué deberían pensar y actuar al ser sus discípulos. Dichosos los pobres de espíritu, porque de ellos es el reino de los cielos. Ellos son quienes se dan cuenta de que todo lo que tienen viene de Dios y pertenece a él (ver Mt 5:1). Cada una de las bienaventuranzas implica vivir todos los mandamientos. Jesús resume la ley de Dios al decir: "Haz a los otros lo que quieras que te hagan a ti. Esta es la ley y los profetas" (Mt 7:12). Los mandamientos dados a Moisés se refieren a nuestra relación con Dios y con todos los demás que comparten este mundo con nosotros.

✠ *¿Qué puedo aprender de este pasaje?*

Día 4: Leyes varias (Éx 21-23)

En estos capítulos se relata cómo Moisés recibió del Señor una serie de leyes muy específicas. Muchas de ellas se refieren a situaciones que surgieron después de que los israelitas se establecieron en la Tierra Prometida. La primera parte (20:22-26) da algunas reglas acerca del culto. La segunda parte (21:1-22:17) es una serie de leyes llamadas "casuísticas" porque son normas dadas a propósito de casos muy específicos: esclavos, seducción, robo, matanza de un buey... Existen paralelos de este tipo de leyes en códigos encontrados en el Medio Oriente Antiguo pertenecientes al segundo milenio antes de Cristo. No hay seguridad de hasta qué punto se seguían estas leyes al pie de la letra, pero lo que sí es claro, es que no se trata de un sistema legal completo. Normalmente solo son tratados los aspectos poco frecuentes de un problema, pero no las normas generales. Por otro lado, estas normas no expresan los ideales del Antiguo Testamento, sino que más bien definen lo que hay que hacer en caso de que los Diez Mandamientos sean ignorados. En este contexto se entiende la "ley del talión": "ojo por ojo, diente por diente" (21:24). Se trata de una ley que limita la retribución por un daño infligido, en una sociedad sin las instituciones modernas en donde se podía desencadenar fácilmente una venganza sin freno. La tercera parte (22:18-23:19) es una colección de mandatos religiosos y morales.

Día 5: Ratificación de la Alianza (Éx 24)

Retomamos la narración que dejamos en el capítulo 19, donde se cuenta que la aparición de Dios en la cumbre de la montaña fue tan aterradora que nadie quiso subir. Ahora Moisés y Aarón, dos hijos de Aarón y setenta ancianos son invitados a subir, donde pueden ver la gloria de Dios (24:9-11). Este nuevo tipo de relaciones entre Dios y el hombre fue hecho posible por la ratificación de la Alianza narrada en 24:3-8. En este ritual, la sangre de la víctima es rociada sobre el altar y sobre el pueblo. La sangre, lugar donde reside la vida en la mentalidad judía, se convierte en el símbolo de la nueva unión entre Dios y el pueblo, y se le llama "sangre de la alianza" (24:8).

Dios llama a Moisés a la cima de la montaña para darle las tablas de piedra con los mandamientos. Moisés sube en compañía de Josué y deja a los ancianos con Aarón y Hur. Por seis días la nube cubrió la montaña y al séptimo Dios llamó a Moisés desde la nube. Moisés entra en la nube, donde permanece por cuarenta días.

Lectio divina

Dedica de 8 a 10 minutos a la contemplación silenciosa del siguiente pasaje:

El número cuarenta aparece con frecuencia en las Escrituras y a menudo significa un tiempo de prueba o lucha. Moisés entra en la nube y permanece ahí por cuarenta días y cuarenta noches, simbolizando su unión con el Señor. Más adelante, en los Evangelios, leeremos que Jesús pasó cuarenta días y cuarenta noches en el desierto entre los animales salvajes, que podría ser una referencia a espíritus malvados. Los israelitas pasarán cuarenta años en el desierto en su camino hacia la Tierra Prometida. Después de eso, cuarenta vino a designar la vida de una generación. Simbólicamente, cuarenta días y cuarenta noches podría referirse a toda una vida con el Señor.

✠ *¿Qué puedo aprender de este pasaje?*

Día 6: Instrucciones para la construcción del tabernáculo (Éx 25-31)

El Éxodo dedica una tercera parte al tabernáculo y a los objetos usados para el culto (cc. 25-31 y 35-40), lo que indica su importancia para Israel. Varias veces se afirma que Moisés recibió la orden de hacerlo "conforme al modelo que se te ha mostrado en el monte" (25:40), indicando que es de inspiración divina. El tabernáculo se parecía, por un lado, a un palacio real, con su estancia del trono (el santo de los santos) en el centro. De esta manera se expresaba la idea de que el Señor era el rey de Israel que habitaba en medio de su pueblo. También recordaba el jardín del Edén, donde Dios vivía en armonía con el hombre. El oro, los querubines, el árbol de la vida, la abundancia de agua, las joyas del sumo sacerdote y la entrada desde el Este eran cosas que tenían en común. El tabernáculo indica que el Dios de la vida da vida a Israel y que se ha restaurado la paz entre Dios y el hombre.

Nota: en este día no se contempla *Lectio divina*.

Día 7: El becerro de oro (Éx 32:1-34:35)

De forma abrupta se nos presenta la crisis más grave de las relaciones entre Dios y el hombre desde el diluvio. Viendo que Moisés tardaba, la gente comenzó a pedir a Aarón que les hiciera un dios para que fuera delante de ellos. Es casi una parodia burlona de lo que Dios les ha dicho poco antes (25:9). Exactamente como pasó después de la liberación del ejército del faraón (Éx 15), aquí traicionan al Señor justamente después de haber visto su poder y su gloria intervenir en su favor. Las consecuencias son catastróficas. Moisés desbarata las tablas de piedra con los diez mandamientos, rompiendo la alianza entre Dios e Israel, que había apenas sido sellada. Dios mismo amenaza con destruir a Israel, pero no lo hace porque Moisés intercede. Sin embargo, una peste mata a miles de ellos. Dios dice que no les acompañará para que no lo vuelvan a provocar. Eso implicaría la cancelación de la construcción del tabernáculo y de la seguridad de éxito en la entrada a la Tierra Prometida. Moisés se rehúsa a acompañar al pueblo si Dios no va con ellos. De esa manera Dios se calma y para tranquilizar a Moisés, le deja ver parcialmente su gloria ("su espalda") y reitera los términos de la alianza establecida en Éx 20-23 (cf. Éx 33:17-34:26).

La sección subraya el papel único de Moisés: sin su mediación la misión de Israel de ser el pueblo de Dios se hubiera interrumpido. Con él, el Señor hablaba cara a cara y esta brillaba de tal forma que tenía que cubrirse con un velo. Él fue quien trajo una copia de los Mandamientos como signo de renovación de la Alianza y restableció el plan para construir el tabernáculo.

Lectio divina

Dedica de 8 a 10 minutos a la contemplación silenciosa del siguiente pasaje:

No es difícil comprender el significado del becerro de oro, dado que vivimos en una sociedad en la que el oro o la riqueza de cualquier tipo se han vuelto un becerro de oro al que mucha gente adora. Jesús conoce el deseo de la naturaleza humana de poseer riquezas y nos advierte que no debemos atesorar riquezas aquí en la tierra, riquezas que pueden ser destruidas, sino más bien guardar tesoros en el cielo que pueden durar eternamente. Nos dice que no podemos servir a dos amos, es decir, no "podemos servir a Dios y al dinero" (Mt 6:24).

✠ *¿Qué puedo aprender de este pasaje?*

Día 8: Construcción del tabernáculo (Éx 35:1-40:38)

Estos capítulos repiten muchas de las indicaciones que encontramos en los capítulos 25-31. La atención a los pequeños detalles es impresionante, hasta el punto de que para un lector moderno parece innecesaria. Es importante no perder de vista la importancia de la sección, que viene después de una crisis que amenazó la existencia misma de Israel. La construcción del tabernáculo demostraba que el programa de Dios para Israel había sido restablecido, ¡YHWH volvería a caminar con su pueblo! El libro termina con la nube de la presencia gloriosa de Dios llenando el tabernáculo. "Porque la Nube de Yahvé estaba sobre la Morada durante el día, y de noche había en ella fuego a la vista de toda la casa de Israel, en todas sus etapas" (Éx 40:38).

Nota: en este día no se contempla tener *Lectio divina*.

Preguntas de reflexión

1. ¿Cuál es la importancia de la gran teofanía que Moisés experimenta en el monte Sinaí?
2. ¿Cómo ayudó cada uno de los Diez Mandamientos al pueblo que peregrinaba por el desierto?
3. ¿Cuáles podrían ser algunos ejemplos de gente adorando al becerro de oro en nuestros días?

Leyes sobre los sacrificios

LEVÍTICO 1-15

Esta es la ley del holocausto, de la oblación, del sacrificio por el pecado, del sacrificio de reparación, del sacrificio de investidura y del sacrificio de comunión, que Yahvé prescribió a Moisés en el monte Sinaí, el día en que mandó a los israelitas, en el desierto del Sinaí, que presentaran sus ofrendas a Yahvé. (Lv 7:37-38).

Oración inicial (ver página 14)

Contexto

El libro del Éxodo da las instrucciones para la ordenación de los sacerdotes, pero eso no se realiza hasta Lev 8-9. Dado que la ordenación implicaba el ofrecimiento de una amplia variedad de sacrificios de los que no se ha explicado todavía el proceso, el Levítico inicia explicando cómo se deben realizar los diferentes tipos de sacrificios. Lv 1:1-6:7 trata el sacrificio desde el punto de vista de quien lo ofrece: especifica lo que se debe hacer para que su sacrificio sea aceptable (qué animales ofrecer, en qué ocasiones, qué debe hacer el oferente y qué el sacerdote). Lev 6:8-7:38 habla de los mismos sacrificios, pero desde la perspectiva del sacerdote (qué partes de cada sacrificio pertenecen al sacerdote que oficia).

Para la gente que vivía en la Tierra Santa, los detalles para hacer las ofrendas a Dios eran importantes. Los israelitas tenían dos formas principales de sacrificios: el holocausto (en griego "completamente consumido por el fuego"), y la ofrenda de comunión. Las lecturas en esta lección ofrecen un ejemplo de la manera en que el Levítico presenta sus leyes y rituales. Este libro puede volverse monótono y difícil al lector ordinario, por este motivo, el presente estudio sugiere que el lector se familiarice con el contenido general del Levítico sin tener que estudiarlo por entero. Ofrecemos un resumen de varios pasajes de Levítico, evitando al mismo tiempo un estudio detallado de las leyes y rituales.

PARTE 1: ESTUDIO EN GRUPO (LV 1:1-3:5)

Lee en voz alta Levítico 1:1-3:5.

Ofrendas de animales: holocaustos (Lv 1:1-17)

Los sacrificios de animales mencionados en Lev 1:1-17 son holocaustos, es decir, sacrificios en los que la víctima es ofrecida solo a Dios y por eso es completamente quemada (la palabra griega significa eso literalmente). Las víctimas de estos sacrificios podían ser del ganado mayor o menor o aves, pero siempre sin defectos. Las víctimas del ganado deberían ser machos y las de las aves podían ser tórtolas o pichones. El primer paso implicaba al oferente, que tenía que llevar a la víctima a la entrada de la Tienda del Encuentro e imponer una mano sobre la cabeza de la misma; este parece ser un gesto indicando la posesión. Si la ofrenda es un novillo, se debía degollar "delante del Señor", es decir, a la entrada de la tienda. Los hijos de Aarón ofrecían la sangre rociándola en los lados del altar, a la entrada de la tienda. El animal era cortado en pedazos y los sacerdotes acomodaban las piezas sobre el altar; los órganos internos y las patas debían ser lavados con agua. Todo debía ser quemado sobre el altar.

En el caso de la ofrenda de un animal de ganado menor, el lugar del degüello era el lado norte del altar. El resto del procedimiento es igual que para el novillo. Si la ofrenda es de pájaros, el sacerdote le quitaba la cabeza y la sangre se dejaba correr sobre el costado del altar. Después le quitaban el buche y las alas, que eran tiradas entre las cenizas, mientras que el resto del animal se quemaba completamente.

La ofrenda de grano (Lv 2:1-16)

Parece haber sido una alternativa para los pobres que no podían permitirse un holocausto, sin embargo, normalmente se ofrecía además de los sacrificios de animales. Al igual que el holocausto, produce un "calmante aroma para Yahvé" (2:2). Esta frase es una forma técnica de indicar que Dios acepta el sacrificio. A diferencia del holocausto, solo una parte de esta ofrenda era quemada en el

LEYES SOBRE LOS SACRIFICIOS

altar, el resto se entregaba al sacerdote como parte de su salario. La ofrenda podía ser en forma de harina cruda, panes ázimos o espigas tostadas.

El sacrificio de comunión (Lv 3:1-17)

Se trata de otro sacrificio de animales, que era ofrecido con frecuencia en ocasión del cumplimiento de un voto o cuando se deseaba celebrar algún evento con una comida de carne. El ritual de este tipo de sacrificio era semejante a los anteriores con una importante diferencia: requería que se quemara una parte de la víctima y el resto fuera compartido por el que lo ofrecía y los sacerdotes (cf. 7:31-35). De este sacrificio se dice también que tiene "calmante aroma para Yahvé", pero su finalidad principal era celebrar, no expiar. Se solía ofrecer en ocasiones más bien alegres. Se llama sacrificio de comunión porque representa una comida "compartida" entre Dios y el oferente.

Preguntas de reflexión

1. ¿Por qué permite Dios que en los holocaustos se destruya completamente un animal en buen estado que podría servir de alimento para la comunidad?
2. ¿De qué manera se puede comparar el sacrificio de comunión en Levítico con el sacrificio de la Eucaristía?
3. ¿Por qué la víctima de un holocausto debía ser macho?
4. ¿Por qué se conoce este tercer libro de la Biblia como Levítico?
5. ¿Qué es una ofrenda de grano y cuál es el significado que tiene para Israel?

Oración final (ver página 15)

Rece la oración final ahora o después de la *Lectio divina*.

Lectio divina (ver página 8)

Relájate y mantén una postura de oración (espalda recta, ojos cerrados, pies apoyados en el suelo). Este ejercicio puede durar cuanto gustes, pero en el contexto de este estudio bíblico, de 10 a 20 minutos deberían ser suficientes.

Las meditaciones que siguen se ofrecen para ayudar a los participantes a usar esta forma de oración, pero hay que considerar que la *Lectio* está pensada para conducirlos a un ambiente de contemplación orante, donde la Palabra de Dios habla al corazón de quien la escucha (ve la página 8 para más instrucciones).

Ofrendas de animales: holocausto (Lv 1:1-17)

En la Carta a los hebreos el autor, recordando los sacrificios ofrecidos en el Antiguo Testamento y el sacrificio de la vida de Cristo, escribe "Todo sacerdote está en pie, día tras día, oficiando y ofreciendo reiteradamente los mismos sacrificios, que nunca pueden borrar pecados. Él, por el contrario, habiendo ofrecido por los pecados un solo sacrificio, se sentó a la diestra de Dios para siempre" (Heb 10:11-12). La gente del Antiguo Testamento tenía que ofrecer sus sacrificios una y otra vez, pero en el Nuevo Testamento leemos que el sacrificio de Jesús fue suficiente y que no hay ya ninguna necesidad de sacrificios de animales. Los católicos creemos que en la Última Cena, Jesús nos ofreció el sacrificio de su cuerpo y sangre en la Eucaristía. Cada celebración de la Eucaristía no es una nueva Última Cena, sino que es participación en el único sacrificio de Jesucristo. Este es un sacrificio eterno en el que participamos cada vez que celebramos la Eucaristía.

✠ *¿Qué puedo aprender de este pasaje?*

Ofrenda de grano (Éx 2:1-16)

Después de que el pueblo se estableció en la Tierra Prometida, la cría del ganado y el cultivo del grano proporcionaban el sustento principal, aparte del agua y el vino. Los pobres podían ofrecer grano, pero este debía reflejar la alianza que Dios había hecho con Moisés en el Sinaí. El pan sin levadura y la sal de la Alianza indicaban la unidad entre Dios y el pueblo. En el Nuevo Testamento, el pan se vuelve importante en la celebración de la Eucaristía. Jesús tomó pan, lo bendijo, lo partió y lo dio a sus discípulos diciendo "tomen y coman, esto es mi cuerpo" (Mt 26:26). Participar del Pan de Vida, que es Jesús, es parte fundamental del culto católico. En la Celebración Eucarística el pan es ofrecido en la preparación de las ofrendas, una fuente de unidad entre quienes comen este Pan de Vida y Jesús mismo. Eucaristía es celebración de la Nueva Alianza.

✠ *¿Qué puedo aprender de este pasaje?*

El sacrificio de comunión (Lv 3:1-5)

En este sacrificio, el sacerdote y el pueblo de los tiempos del Antiguo Testamento se unen en un banquete comunitario con Dios al compartir una porción de la víctima sacrificial. En cierto sentido, estaban comiendo con Dios. En la Última Cena, Jesús dijo a sus discípulos "Con ansia he deseado comer esta Pascua con ustedes antes de padecer; porque les digo que ya no la comeré más hasta que halle su cumplimiento en el Reino de Dios" (Lc 22:15-16). Jesús estaba tomando parte en un tipo de sacrificio de comunión en la Última Cena, cuando tomó el pan y dijo "Este es mi cuerpo que se entrega por ustedes" (Lc 22:19), y "Esta copa es la nueva Alianza en mi sangre, que se derrama por ustedes" (Lc 22:20). La comida sacrificial continúa cada vez que participamos en la Eucaristía, nuestro sacrificio comunitario.

✠ *¿Qué puedo aprender de este pasaje?*

Nota: esta lección no contempla una sección de estudio individual

Un pueblo santo

LEVÍTICO 16-27

No te vengarás ni guardarás rencor a los hijos de tu pueblo.
Amarás a tu prójimo como a ti mismo. Yo, Yahvé (Lv 19:18).

Oración inicial (ver página 14)

Contexto

Parte 1: Levítico 16. En el día de la expiación, Aarón tiene que sacrificar un toro para su propia purificación. Después de eso, tomará dos chivos y sacrificará uno para purificar a la comunidad; mandará el segundo a morir fuera del campamento, en el desierto, llevando simbólicamente sobre sí los pecados del pueblo. Este es conocido como "chivo expiatorio". Aarón debe usar sus vestidos de lino durante esta ceremonia.

Parte 2: Levítico 17-27. Estos capítulos contienen el llamado "código de santidad" que pone de relieve el papel del Señor como fuente de santidad que guía al pueblo. También subraya el papel de YHWH como fundamento de las leyes que conducen a los israelitas a convertirse en un pueblo santo. El estribillo "Yo soy el Señor" es la expresión clave en este código de santidad.

El código se ocupa en primer lugar de la sangre de los animales sacrificados, que debe ser derramada en el altar a la entrada de la Tienda del Encuentro. Se dan leyes sobre la conducta sexual, como, por ejemplo, evitar relaciones con un pariente cercano, con una mujer durante su período o con animales. También aparecen cuestiones sociales como el robo, el falso testimonio, las acciones deshonestas, la calumnia y la venganza. Menciona el mandamiento citado por Jesús: "Amarás a tu prójimo como a ti mismo" (19:18).

El código explica la santidad del sacerdocio y sus exigencias, así como la celebración de las fiestas judías como días santos. Aquí se explican las reglas para el santuario, los años sabáticos (un año de descanso para la tierra), y el año jubilar (cada 50 años). Habla de la recompensa para los que obedecen al Señor y del castigo para los que no lo hacen. Finalmente, el código concluye con reglas sobre el rescate de seres humanos y de la tierra.

La segunda parte de este estudio comienza con el capítulo 19. Los capítulos 17-18 contienen la primera parte del código de santidad, que puede ser leído, hojeado o simplemente omitido. El resumen del código de santidad dado en este contexto ayudará a entender el contenido de los capítulos que no se lean.

PARTE 1: ESTUDIO EN GRUPO (LV 16)

El día de la expiación

El estudio de este pasaje ofrece un ejemplo del tipo de textos que podemos encontrar en el libro del Levítico. El día de la expiación (en hebreo "Yom Kippur") es el día más santo en el calendario de Israel. Cae en el día diez del mes séptimo, que corresponde a los primeros días de octubre. Su finalidad principal era purificar el santuario de la contaminación causada por el pecado y la impureza ritual. En este día, los judíos se mortifican absteniéndose de los placeres materiales. Abniegan sus cuerpos mientras se estimulan a buscar a Dios para que sus pecados sean perdonados.

Los elementos más importantes en las ceremonias de este día eran tres. En primer lugar, había ofrendas del sumo sacerdote por sus propios pecados y los del pueblo (cf. Lv 4). Estas ofrendas incluían untar sangre en el altar principal dentro del atrio del tabernáculo o en el altar del incienso en el santo, pero en el día de la expiación la sangre era llevada hasta el santo de los santos, el lugar más sagrado del tabernáculo, donde se conservaba el arca y era rociada ahí.

El segundo elemento era la ceremonia del chivo expiatorio. Un chivo era ofrecido como sacrificio por el pecado del pueblo; el otro era enviado al desierto, cargado con los pecados del pueblo que le eran simbólicamente transmitidos por la imposición de las manos del sumo sacerdote.

El último elemento era el ayuno de todo el pueblo. El día de le expiación era considerado como un Sábado muy especial, en el que no se podía hacer ningún tipo de trabajo. Aparte de eso, no se podía beber ni comer por 24 horas (cf. Lev

16:29-31). El texto hebreo usa la expresión "se mortificarán" en lugar de aquella que significa estrictamente ayuno, para indicar que no se trataba solamente de no comer, sino de una penitencia más profunda.

A través de las ceremonias del día de la expiación, Israel nos enseña que los pecados, aunque hayan sido perdonados, tienen consecuencias que deben ser purificadas.

Preguntas de reflexión

1. ¿Por qué estaban los israelitas dispuestos a ofrecer sacrificios?
2. ¿En qué sentido Aarón es como Cristo al expiar por los pecados de su familia?
3. ¿Qué es el *Yom Kippur*?
4. ¿Por qué juega un papel tan importante Aarón en el libro del Levítico?
5. ¿Cómo podemos aplicar la idea del chivo expiatorio a Cristo?

Oración final (ver página 15)

Reza la oración final ahora o después de la *Lectio divina*.

Lectio divina (ver página 8)

Relájate y mantén una postura de oración (espalda recta, ojos cerrados, pies apoyados en el suelo). Este ejercicio puede durar cuanto gustes, pero en el contexto de este estudio bíblico, de 10 a 20 minutos deberían ser suficientes.

Las meditaciones que siguen se ofrecen para ayudar a los participantes a usar esta forma de oración, pero hay que considerar que la *Lectio* está pensada para conducirlos a un ambiente de contemplación orante, donde la Palabra de Dios habla al corazón de quien la escucha (ve la página 8 para más instrucciones).

El día de la expiación (Lv 16:1-19)

Después de la resurrección de Jesús, Pedro y sus compañeros se encontraban pescando cuando reconocieron a Jesús en la orilla del lago. Pedro se emociona tanto que salta al agua y se va nadando para estar con Jesús, que ha preparado una comida para ellos. Después de que terminan de comer, Jesús le pregunta tres veces a Pedro si lo ama y él le responde cada vez afirmativamente. La tercera vez, sin embargo, un poco exasperado, Pedro le dice: "Señor, tú lo sabes todo, tú sabes que te quiero" (Jn 21:17). Pedro ha negado tres veces a Jesús durante la pasión y Jesús le da oportunidad de arrepentirse permitiéndole afirmar tres veces su amor por él. Jesús, entonces, le previene de que su amor será puesto a prueba cuando sea llevado a sufrir por él. Pedro está listo (cf. Jn 21:15-19).

Dado que todos somos pecadores, todos tenemos necesidad de expiación, del mismo modo que los israelitas del Antiguo Testamento. Para los cristianos la expiación no se presenta bajo la forma de sacrificios de animales, sino a través del sacramento de la Reconciliación o Confesión. Confesamos nuestros pecados haciendo la resolución de no volver a cometerlos. Los israelitas celebraban cada año el *Yom Kippur* (día de la expiación), señal de que, no obstante el deseo de evitar el pecado, muchos no lograban vencer la tentación. El deseo puede ser sincero, pero la tentación de pecar muchas veces supera al deseo de vivir cerca de Dios. Lo mismo les sucede a quienes se confiesan. El deseo de vencer la tentación está ahí, pero la tentación de volver a pecar parece ser más poderosa. Nosotros los católicos acudimos al sacramento de la Reconciliación muchas veces en nuestras vidas, en un esfuerzo por alcanzar un estado que nos permita vivir cerca de Cristo cada día, como san Pedro.

✠ *¿Qué puedo aprender de este pasaje?*

El chivo expiatorio (Lv 16:20-34)

El chivo expiatorio recibe los pecados de la comunidad y es enviado fuera del campamento a morir en el desierto. Cuando una persona carga con las culpas de un grupo, nos referimos a ella como un "chivo expiatorio". Todas las faltas de un grupo caen sobre esa persona. En los Evangelios, Jesús toma sobre sí el papel de chivo expiatorio al sacrificarse por todos nosotros. En el Evangelio de san Marcos, Juan el Bautista predica a los pecadores la necesidad de su bautismo como signo de arrepentimiento. De improviso, Jesús entra en el agua para recibir de Juan el bautismo de arrepentimiento. Jesús, que está completamente sin pecado, ha tomado sobre sí los pecados de la humanidad y en nuestro nombre recibe el bautismo de Juan. Leemos acerca de Jesús en la Primera carta de san Pedro: "*el mismo que*, sobre el madero, *llevó nuestros pecados* en su cuerpo" (1 Pe 2:24). Jesús, nuestro "chivo expiatorio", expía nuestros pecados.

✠ *¿Qué puedo aprender de este pasaje?*

Parte 2: Estudio individual (Lv 17-27)

Visión general de estos capítulos

Los once últimos capítulos del Levítico tienen un carácter diferente de los anteriores. Mientras que Lv 1-16 se centra en los sacrificios y la impureza ritual, Lev 17-27, aunque no excluyen temas relacionados con el culto, tratan un abanico más amplio de temas, incluyendo temas morales y sociales. La exhortación frecuente "Sean santos porque yo, el Señor su Dios soy santo" le ha valido a esta sección el nombre de "código de santidad". Aunque los temas aquí tratados puedan parecernos sin ninguna relación con los anteriores (sacrificios y pureza ritual); sin embargo, para los lectores antiguos no eran tan ajenos. Lo que nosotros podemos ver solo como problemas morales (asesinato, adulterio, incesto) o religiosos (idolatría), eran también problemas de impureza. Más aún, se trataba de los más graves casos de impureza, que no solo contaminaban al transgresor y al santuario, sino a la tierra entera. Hay todo un abanico de impurezas, desde las más ligeras, causadas por condiciones naturales (por ejemplo, las enfermedades de la piel) hasta las más graves, que se originaban en pecados como el homicidio y la idolatría.

Inmolaciones y sacrificios (cap. 17)

Nadie debe tomar un animal ofrecido para sacrificio y matarlo fuera de la tienda del encuentro, como se había hecho anteriormente. No deben ofrecer sus sacrificios a los demonios. Quienes lo hagan serán condenados por derramar sangre y serán excluidos de la comunidad. El mismo castigo se impondrá a quien coma la sangre de un animal. La razón dada es que la sangre de un animal es su vida. Quien coma un animal muerto o que haya sido muerto por una fiera será considerado impuro hasta que lave sus vestidos, se bañe con agua y se vuelva puro al atardecer.

Conducta sexual (cap. 18)

Las relaciones sexuales prohibidas mencionadas en este capítulo crearon una impureza tan grande, que la tierra vomitó a los cananeos y hará lo mismo con los israelitas si se comportan del mismo modo (18:24-28). El texto le dedica particular atención al incesto (18:6-17), quizá porque era la transgresión más factible en una comunidad tan cerrada como era el antiguo Israel; sin embargo, también otras acciones como el adulterio, los actos homosexuales y la bestialidad son condenadas. Todas estas acciones se consideraban contrarias a la vida, así como la había pensado el Creador y causaban, por lo mismo, impureza.

Día 1: El código de santidad (Lv 19:1-18)

Esta sección trata de las relaciones con los demás. Muchos de los preceptos mencionados se parecen a los que encontramos en los Diez Mandamientos, como respetar al padre y la madre, y guardar el sábado. También se dan normas que muestran la preocupación por el pobre (19:9-10). El autor incluye una serie de pecados contrarios a la Ley del Dios santo y amoroso. La lista incluye robar, engañar, jurar en el nombre de Dios en vano, oprimir al prójimo, robar, maldecir al mudo, poner tropiezo al ciego, etc. Jesús citará este pasaje cuando enseñe que hay que amar al prójimo como a uno mismo. Santidad es la esencia del carácter de Dios que la humanidad debe imitar ("Sean santos porque yo soy santo"). Dios es vida perfecta, así que las acciones alabadas aquí son aquellas compatibles con una vida plena y las criticadas son las que van en contra de ella.

Lectio divina

Dedica de 8 a 10 minutos a la contemplación silenciosa del siguiente pasaje:

La lista de preceptos para la santidad dada en Levítico es larga. En el tiempo de Jesús, muchos maestros de la Ley trataron de acortar la lista de manera que la gente pudiera recordarla más fácilmente. El tema se volvió centro de un gran debate. En el Evangelio de san Mateo leemos que un fariseo vino a poner a prueba a Jesús preguntándole cuál era el mandamiento más importante. Jesús lo asombra poniendo juntos un texto del Deuteronomio (6:5) que habla acerca de amar a Dios con todo el ser y otro del Levítico (19:18) que habla del amor al prójimo como a sí mismo. Prácticamente Jesús está diciendo que no podemos cumplir uno sin cumplir el otro. El código de santidad para los cristianos es el código de amor dado por Jesús. Amar a Dios y al prójimo como a uno mismo conduciría a una persona a seguir la larga lista de preceptos dada en Levítico.

✠ *¿Qué puedo aprender de este pasaje?*

Puede saltar o solamente ojear los textos bíblicos de esta sección

Día 2: Los años santos: el año sabático y el jubileo (Lv 25:1-55)

Después de tratar los días santos y las semanas santas en el capítulo 23, era necesario hablar de los años santos. Éxodo 23:10-11 prescribía que cada siete años los campos se debían dejar sin cultivar y que todo lo que creciera se debía dejar para que lo pudieran comer los pobres y los animales salvajes. El libro del Levítico desarrolla los mismos principios dándoles un mayor alcance: después de reafirmar el principio del año sabático, instituye un jubileo o "súper año sabático" cada 50 años. Ese año, la tierra gozará de otro año de descanso y los que hayan vendido su propiedad la recobrarán. También quienes se hayan tenido que vender como esclavos para poder sobrevivir, serían liberados. Estas leyes fueron dadas para evitar que las familias pudieran caer en permanente pobreza y que la tierra se acumulara en las manos de unos pocos. De esta manera, todos celebraban que habían sido esclavos en Egipto y Dios los había liberado. El jubileo era también un año de una especial visita de parte del Señor. Es un tiempo de salvación, de libertad para todos y un nuevo inicio.

Lectio divina

Dedica de 8 a 10 minutos a la contemplación silenciosa del siguiente pasaje:

El año sabático y el año jubilar eran grandes desafíos para los israelitas, dado que contenían exigencias difíciles de aceptar para muchos. En el Evangelio de san Lucas, Jesús entra en una sinagoga y lee un pasaje del profeta Isaías que sonaba como la proclamación de un año jubilar espiritual y físico. Jesús lee un pasaje en Isaías y lo aplica a sí mismo. Dice: "El Espíritu del Señor sobre mí, porque me ha ungido para anunciar a los pobres la Buena Nueva, me ha enviado a proclamar la liberación a los cautivos y la vista a los ciegos, para dar la libertad a los oprimidos y proclamar un año de gracia del Señor" (Lc 4:18-19). Por medio de este pasaje, Jesús enseña a sus seguidores cómo vivir en el espíritu del jubileo cada día de sus vidas.

✠ *¿Qué puedo aprender de este pasaje?*

Día 3: premios y castigos (Lv 26-27)

Algunos textos legales antiguos como tratados y códigos de leyes generalmente terminaban con una serie de bendiciones y maldiciones, es decir, promesas de prosperidad si las leyes eran observadas o advertencias de castigo si se las ignoraba. Levítico 26 y Deuteronomio 28 siguen este modelo. Leyendo las bendiciones, nos podemos dar cuenta de qué es lo que Israel más deseaba en su vida: buenas cosechas, victoria sobre los enemigos y la presencia de Dios (cf. 26:6-13). Las maldiciones nos presentan aquello que más temían: enfermedad, sequía, derrota y exilio (26:14-39).

Lectio divina

Dedica de 8 a 10 minutos a la contemplación silenciosa del siguiente pasaje:

El mensaje del libro del Levítico a propósito de cómo debemos tratar a los demás es central en la vida de todos. Incluso en nuestros días, los cristianos podemos mirar al código de santidad que habla sobre cómo debemos tratar al prójimo y darnos cuenta de lo bien que encaja con el mensaje traído por Jesús. La obediencia a la voluntad de Dios lleva a una vida más feliz. No nos garantiza una vida sin problemas ni decepciones, pero Jesús prometió que estaría con nosotros en los tiempos alegres y en los difíciles. Jesús dijo: "Por eso les digo: No anden preocupados por la vida, qué comerán, ni por el cuerpo, con qué se vestirán: porque la vida vale más que el alimento y el cuerpo más que el vestido" (Lc 12:22-23). A la raíz de la felicidad y de la alegría en la vida está el amor al prójimo como a uno mismo, y el amor y la confianza en Dios.

✠ *¿Qué puedo aprender de este pasaje?*

Preguntas de reflexión

1. ¿De qué manera la llamada a ser el pueblo santo de Dios influye en la vida de los israelitas?
2. ¿Podría funcionar un año sabático en nuestra cultura local y global en la actualidad?
3. ¿Las leyes sobre la idolatría encontradas en el libro del Levítico nos muestra a un Dios cruel?
4. Atico nos muestra a un Dios cruel?¿Cómo habrá afectado el descanso sabático de la tierra a la vida de la gente?
5. ¿Es fácil para ti creer que Dios proveerá abundancia y paz a las comunidades que le son fieles? Comenta.

El pueblo se queja en el desierto

NÚMEROS 1:1-16:34

"Levántate, Yahvé, que tus enemigos se dispersen, que huyan delante de ti los que te odian". (Nm 10:35)

Oración inicial (ver página 14)

Contexto

Parte 1: Números 1-12. Los capítulos 1 a 8 siguen muchos de los detalles que encontramos en el Levítico. Los capítulos 9 a 10:28 hablan de la preparación para partir del Sinaí. Esta sección será resumida brevemente a continuación. El Señor había indicado previamente al pueblo que se quedara donde estaba cuando la nube cubriera la tienda y que reemprendieran la marcha cuando la nube se levantara. En Nm 10:1 la nube se levanta sobre la tienda y Moisés organiza a la gente en grandes grupos para continuar el camino, poniendo líderes en cada grupo. Los israelitas emprendieron un viaje de tres días siguiendo al Arca y adentrándose en el desierto de Parán, una zona seca entre Israel y el sur de la península del Sinaí.

En 10:29, donde comienza este estudio, Moisés depende de una orientación humana y le pide a Hobab (el otro nombre de su suegro, Jetró) que les guíe. Este gesto no excluye la guía del Señor. El Arca va delante de ellos y les asegura la protección divina. La nube, que es un signo de la presencia del Señor, se convierte en su guía. El Señor ordena a Moisés que ponga a cincuenta ancianos como jueces para que le ayuden cuando el pueblo se lamente contra el Señor y Dios alimenta al pueblo con codornices. En estos capítulos, Aarón y María se unen en contra del liderazgo de Moisés.

Parte 2: Números 13:1-16:34. Moisés manda un hombre de cada tribu a explorar la tierra de Canaán. Los exploradores vuelven reportando que la tierra está habitada por gente poderosa, que vive en grandes ciudades. Diez de ellos advirtieron que la gente del lugar era demasiado fuerte como para que los israelitas la pudieran combatir. Caleb y Josué no estuvieron de acuerdo. La gente se desanima escuchando el relato de los diez exploradores y se vuelven contra Moisés y Aarón, y amenaza con apedrearlos. El Señor habla de destruirlos y Moisés intercede, haciendo que el Señor se apiade, pero anuncia que ninguno de esa generación, excepto Caleb y Josué, vivirán para entrar en la Tierra Prometida. Cuando el pueblo oyó esto, algunos intentaron invadir la tierra, pero como Dios no estaba con ellos, fueron derrotados.

PARTE 1: ESTUDIO DE GRUPO (NM 10:29-12:16)

Lee en voz alta Números 10:29-12:16.

Necesidad de un guía (Nm 10:29-36)

El camino del Sinaí a Kadesh comienza muy bien. Precisamente un año después de haber salido de Egipto, los israelitas están en camino a la Tierra Prometida y marchan exactamente como les había sido prescrito en los capítulos 2-4. Su obediencia total es recompensada por la nube del Señor que los acompaña.

En 10:29, donde comienza este estudio, Moisés busca ayuda humana sin por ello rechazar la que viene de Dios. Moisés pide a Jobab (otro nombre de su suegro, Jetró) que los guíe, prometiéndole que participará de las bendiciones que el Señor dará a los israelitas. Moisés se muestra aquí necesitado de consejo humano, sin que eso signifique la exclusión de la guía del Señor. Dios guiará al pueblo a un lugar, pero encontrar los lugares necesarios para la supervivencia de una multitud tan grande depende del ingenio y conocimiento humanos. Dado que el suegro de Moisés conoce la región, él los puede orientar sobre los mejores lugares para acampar.

El Arca marcha delante de ellos y la nube va encima de ellos durante el día, lo que les da la seguridad de la protección divina. En épocas posteriores, el Arca será llevada a la batalla para asegurarse de que Dios les dará la victoria. El canto, que menciona a los enemigos de Israel que se dispersan, era un antiguo canto usado en las batallas.

Tres quejas del pueblo (Nm 11:1-12:16)

El inicio tan prometedor es bruscamente interrumpido por tres historias de diferentes grupos que se lamentan del liderazgo de Moisés y las dificultades del camino. Los relatos están formados por cuatro elementos: la queja del pueblo, la ira y condena divinas, la intercesión de Moisés y dar nombre conmemorativo al lugar.

En esta sección hay eventos narrados que son paralelos a otros mencionados en el Éxodo. Algunos ejemplos: maná y codornices (Éx 16; Nm 11:4-15.31-35); agua de la roca (Éx 17:1-7; Nm 20:1-13), etc. La diferencia es que, mientras después de los eventos en Éxodo no hay un castigo, en Números, aunque disminuido por la intercesión de Moisés, sí lo hay. ¿Qué ha sucedido entre los primeros eventos y los segundos para justificar el castigo en estos últimos?

En 11:1-3 está el primer episodio. Se menciona que el pueblo se lamenta, pero no se dice el motivo. La ira de Dios ardió contra ellos y un fuego consumió parte del campamento. Después de la intercesión de Moisés, el fuego se apagó. El lugar recibió el nombre de Taberá que significa "incendio".

11:4-34: Estos versículos comprenden tres distintos eventos: el envío de codornices en respuesta a los lamentos de Israel (11:4-15 y 31-35), paralelo a Éx 16; el nombramiento de setenta ancianos para que ayuden a Moisés en sus responsabilidades (11:16-23); y la efusión del espíritu sobre los setenta ancianos, incluidos dos que no estaban con el grupo (11:24-30). El relato sobre los setenta ancianos nombrados para ayudar a Moisés sucede en respuesta a las quejas de este último con Dios por poner sobre sus hombros el peso de todo el pueblo (11:10-15). El versículo final con las palabras de Moisés "¡Ojalá que todo el pueblo de Yahvé profetizara porque Yahvé les daba su espíritu!" es un afirmación que demuestra la importancia de la profecía, así como de la humildad de Moisés que sabe reconocer la mano de Dios en otros.

En 12:1-16 se relata el tercer episodio de rebelión. El autor nos habla de la oposición de María y Aarón a su hermano Moisés. La excusa que presentan es que se ha casado con una mujer extranjera (la identificación de la nacionalidad de la mujer no es clara, pues este texto la llama "cusita", mientras que Éxodo habla de una mujer madianita [2:21]). Sin embargo, el verdadero objetivo de María y Aarón es poner en entredicho la singularidad de la relación de Moisés con Dios y, por tanto, la supremacía de su palabra. María se vuelve leprosa y, después de que Moisés intercede a su favor, tiene que ser excluida del campamento por siete días antes de que el viaje pueda continuar. El mensaje es claro: el papel de

Moisés es único; solo con él Dios habla cara a cara. Nadie, ni siquiera sus más allegados, pueden comparársele.

Preguntas de reflexión

1. ¿Cómo se podría aplicar a nuestra propia vida la necesidad de una guía humana, como en el caso del suegro de Moisés?
2. ¿Por qué la gente comenzó a pensar que la vida en Egipto no era tan difícil? Explícalo.
3. Dios escoge ancianos como jueces para que ayuden a Moisés. ¿Dónde está la importancia y valor de este evento?
4. ¿Qué podemos aprender acerca del don abundante de codornices dado al pueblo?
5. ¿Por qué se habrán rebelado María y Aarón contra su hermano? ¿Cuál sería algún caso semejante en nuestro tiempo?

Oración final (ver página 15)

Reza la oración final ahora o después de la *Lectio divina*.

Lectio divina (ver página 8)

Relájate y mantén una postura de oración (espalda recta, ojos cerrados, pies apoyados en el suelo). Este ejercicio puede durar cuanto gustes, pero en el contexto de este estudio bíblico, de 10 a 20 minutos deberían ser suficientes.

Las meditaciones que siguen se ofrecen para ayudar a los participantes a usar esta forma de oración, pero hay que considerar que la *Lectio* está pensada para conducirlos a un ambiente de contemplación orante, donde la Palabra de Dios habla al corazón de quien la escucha (ve la página 8 para más instrucciones).

La necesidad de un guía (Nm 10:29-36)

Confiar en Dios como Moisés, requiere gran amor y fe. Aunque Moisés confía en Dios, también le pide a su suegro que permanezca con ellos como guía para ayudarlos a encontrar lugares apropiados para acampar. Como cristianos creemos en el mensaje de Jesús de que el Espíritu Santo nos guiará hasta la verdad completa. Sin embargo, también tenemos necesidad de guías espirituales para ayudarnos a discernir de qué forma el Espíritu está guiándonos. En el Evangelio de san Mateo, el demonio invita a Jesús a lanzarse desde la parte alta del Templo y Jesús responde: "También está escrito: no tentarás al Señor tu

Dios" (Mt 4:7). Creer que Dios se va a ocupar de todas nuestras necesidades sin que nosotros hagamos nada es el pecado de presunción. Dios nos ayuda, pero nos pide que también nosotros nos ayudemos. Como dice el dicho: "Ayúdate, que yo te ayudaré".

✠ *¿Qué puedo aprender de este pasaje?*

El descontento de la gente (Nm 11:1-35)

La respuesta del Señor a las quejas del pueblo en el desierto nos ofrece una ojeada a la manera cómo él suele tratar con las personas. El pueblo se queja a Moisés y Moisés se vuelve, exasperado, hacia el Señor. Dios se compadece de Moisés, le responde a su frustración y establece una organización de jueces para que le ayuden. Una vez que la organización está establecida, el Señor le da carne al pueblo, pero esta llega en tal abundancia que el pueblo se cansa de ella. Una advertencia famosa dice "Ten cuidado con lo que pides". El pasaje nos muestra que Dios está deseoso de ayudarnos de la misma manera que ayudó a Moisés en sus momentos de exasperación y frustración, pero también nos advierte que la respuesta a nuestras oraciones airadas, pueden dejarnos en una situación peor. No es que Dios nos castigue, sino que nosotros mismos nos castigamos pidiendo dones que en realidad nos harán daño. Nosotros los cristianos aprendemos a añadir a nuestras oraciones "que no se haga mi voluntad, sino la tuya". Dios, que nos ama, responde favorablemente a una oración así.

✠ *¿Qué puedo aprender de este pasaje?*

Rebelión de Aarón y María (Nm 12:1-16)

Aarón y María tienen ya un papel en la vida de Moisés. Como sus hermanos, son su familia. María ayudó a salvarlo cuando él era un niño y Aarón se volvió su portavoz. Sin embargo, su ambición los llevó a pecar contra el liderazgo de Moisés. Cada uno de ellos tenía su propia misión, pero no estaban satisfechos con ella. Querían más. Aunque el Señor castiga solo a María, sus hermanos, Moisés y Aarón, participaron en su dolor y pidieron al Señor que la curara. Cuando los discípulos de Jesús le preguntan quién es el más grande en el Reino de Dios, él les responde "Yo les aseguro: si no cambian y se hacen como los niños, no entrarán en el Reino de los Cielos" (Mt 18:3). Aarón y María fueron castigados por su ambición. Los más grandes en el Reino de Dios son quienes realizan sus propios deberes bien. Esa es la voluntad de Dios para todos nosotros.

✠ *¿Qué puedo aprender de este pasaje?*

PARTE 2: ESTUDIO INDIVIDUAL (NM 13:1-16:34)

Día 1: El reporte de los doce exploradores (13:1-33)

Por orden de Dios, Moisés envía doce exploradores, uno por cada tribu, a explorar la tierra de Canaán. Los exploradores vuelven cuarenta días después haciendo una descripción entusiasta de la misma, de sus riquezas y fertilidad. Los cuarenta días parecen indicar la importancia de su viaje, así como el hecho de que tuvieron tiempo suficiente para explorar la tierra y conocer a sus habitantes. Pero no todo el reporte es positivo, los exploradores también afirman que será imposible conquistar la tierra. Esto contradecía la promesa hecha a Abrahán de que su descendencia poseería la tierra (Gn 12:7), y era una negación completa del sentido mismo del éxodo de Egipto. De hecho el pueblo dice: "Nombremos a uno jefe y volvamos a Egipto" (Nm 14:4). Solo dos hombres, Caleb y Josué, se muestran confiados en la ayuda de Dios y proponen emprender la conquista.

Lectio divina

Dedica de 8 a 10 minutos a la contemplación silenciosa del siguiente pasaje:

Confiar en Dios en situaciones aparentemente imposibles como las relatadas requiere gran fe. Caleb y Josué creyeron que el Señor iría con ellos a la batalla simplemente porque él les había prometido vencer las batallas por ellos. Cuando los primeros miembros de la Iglesia sufrieron persecución y, al menos en apariencia, fueron completamente aniquilados, aquellos que confiaron en las palabras de Jesús de que el Espíritu estaría con ellos, animaban a los otros a confiar en Dios. En el Evangelio de san Lucas, Jesús dice a sus discípulos "Cuando los lleven a las sinagogas, ante los magistrados y las autoridades, no se preocupen de cómo o con qué se defenderán, o qué dirán, porque el Espíritu Santo les enseñará en aquel mismo momento lo que conviene decir" (Lc 12:11-12). A causa de las palabras de Jesús, esos primeros cristianos siguieron confiando en Dios sin importarles lo que podría venir después. Ellos creyeron que, al final, el Espíritu Santo les daría las palabras y el valor necesarios para permanecer fieles. Todos nosotros enfrentamos el mismo desafío en nuestras vidas de profesar confianza en Dios.

✠ *¿Qué puedo aprender de este pasaje?*

Día 2: Un pueblo desalentado (Nm 14:1-45)

La rebelión representa la más grande crisis de Israel desde el episodio del becerro de oro. Con su actitud, el pueblo no está rechazando solo el liderazgo de Moisés, sino también a YHWH. Moisés y Aarón se postran ante el pueblo, una posición que indica súplica para que se detengan porque se dan cuenta de la grave ofensa que han cometido contra Dios. Los mismos Josué y Caleb tratan de convencer al pueblo de que la tierra es excelente y de que Dios los guiará sanos y salvos a la misma; ruegan a la gente que no se rebele, pero ellos reaccionan amenazando con apedrearlos.

Dios amenaza con aniquilar al pueblo y si la amenaza no se realiza, es solo gracias a la intercesión de Moisés. Sin embargo, como en otros lugares del Pentateuco, perdón no significa que el castigo ha quedado completamente eliminado, sino más bien que habrá una reducción del mismo. Los pecados tienen siempre consecuencias, aunque Dios perdone. Los diez espías infieles mueren repentinamente y todos los mayores de veinte años morirán en el desierto. Solo Caleb y Josué sobrevivirán para tomar posesión de la Tierra Prometida.

Dios condena al pueblo a vagar por el desierto durante cuarenta años, uno año por cada día que los exploradores dedicaron a recorrer la tierra. Cuarenta años son también el período de tiempo que cubría una generación y, por tanto, son los años necesarios para que la generación que vivió en Egipto antes del Éxodo perezca en el desierto. Entre estos, muchos conocieron y aceptaron los dioses paganos de los egipcios. Muchos de ellos vieron al Dios de Israel como a un Dios entre muchos y sabían poco o nada acerca él, el Dios de sus antepasados. Aquellos que nacieron en el desierto tenían un mejor conocimiento de YHWH, pues solo de él tenían experiencia y conocían sus acciones. El periodo de camino por el desierto, no es solo un tiempo de vagabundeo, sino también una escuela para aprender más acerca de Dios y de la vida en la comunidad.

Algunos de los israelitas no aceptaron la idea de morir en el desierto sin entrar en la Tierra Prometida, así que organizaron una expedición por su propia cuenta para conquistarla. Aunque Moisés los previene de que sus planes no tendrán éxito porque el Señor no los acompañará, ellos se obstinan en entablar batalla contra los amalecitas y los cananeos. Estos los vencen y destrozan.

Lectio divina

Dedica de 8 a 10 minutos a la contemplación silenciosa del siguiente pasaje:

Los pecados de los padres en el desierto afectaron las vidas de sus hijos, que tuvieron que vagar en el desierto hasta que el último de la generación anterior murió, a excepción de Caleb y Josué. Todos los seres humanos estamos tan íntimamente unidos en la creación, que los pecados de uno pueden tener efectos desastrosos en las vidas de otros. El hombre o la mujer que se juega los bienes de la familia hiere a otros miembros de la misma que dependen de ellos. El pecado de Judas al traicionar a Jesús provocó dolor físico y emocional a Jesús y dolor emocional a los que lo amaban. En muchos casos es el pecado de egoísmo, el deseo de buscar nuestro propio provecho y prestigio, el que causa dolor a otros. Aunque los que se rebelaron en el desierto pretendían estar preocupados por sus mujeres e hijos, en realidad solo estaban preocupados por sí mismos, temerosos de morir en el desierto, lo que al final pasó por culpa de su pecado.

✠ *¿Qué puedo aprender de este pasaje?*

(Pueden saltar u hojear solamente el texto bíblico de esta sección)

Día 3: Ofrendas secundarias (Nm 15:1-41)

El capítulo 15 contiene una serie de leyes sobre las ofrendas que deberán ser presentadas en la Tierra Prometida. Aunque esta sección puede ser vista como una interrupción del relato hecha por un editor, también es posible leer estas leyes como un promesa que les daba seguridad sobre el futuro: realmente podrían volver y entrar en la Tierra Prometida y ofrecer generosamente a Dios todo tipo de ofrendas (toros, cabras, ovejas, harina, aceite y vino). La tierra se revelará verdaderamente como una tierra que "mana leche y miel".

Serán necesarios sacrificios para expiar por el pecado inadvertido, pero el pecado deliberado (ejemplificado por el episodio de los exploradores y del violador del Sábado [cf. 15:32-36]) serán castigados.

Como recordatorio constante del deber que tienen de observar la ley, todos los israelitas deben usar flecos en sus ropas. De esa manera, al tener presente la ley no seguirán los caprichos de su corazón y de sus ojos (15:39). Estos flecos son usados todavía por algunos judíos y Jesús mismo los usaba (cf. Mt 9:20). Suelen tener algunas hebras de color azul, que es el color del cielo.

Nota: en este día no se contempla *Lectio divina*.

Día 4: La rebelión de Coré, Datán y Abirón

El capítulo 16 nos presenta nuevos ataques contra el liderazgo de Moisés por parte de Datán y Abirón; Coré, por su parte, atentará contra el sacerdocio de Aarón. Coré, perteneciente a la tribu de Leví como Aarón y Moisés, pone en entredicho el sacerdocio de este último, a cuya descendencia masculina Dios ha designado como sacerdotes del Antiguo Testamento. Los levitas estaban encargados del Tabernáculo y de los lugares sagrados, pero no todos eran sacerdotes. Datán y Abirón son laicos pertenecientes a la tribu de Rubén, que desafían el liderazgo de Moisés.

Coré, Datán y Abirón se presentan ante Moisés junto con 250 hombres importantes de la comunidad. Acusan a Moisés y Aarón de arrogarse demasiada autoridad, siendo que todos los miembros de la comunidad son santos. Preguntan qué autoriza a Moisés a ponerse por encima de la comunidad del Señor. La narración se desvía al tema de la autoridad del sacerdocio levita. Moisés los reta a dejar que Dios decida quién es santo y puede acercarse al Señor. Al día siguiente deberán tomar sus incensarios para echarles incienso delante de YHWH, de forma que aquel a quién él escoja será el consagrado. Moisés reacciona y dice a los levitas que han ido demasiado lejos. Algunos autores piensan que en el fondo de este texto hay una confrontación entre los descendientes de Leví que no fueron escogidos para ser sacerdotes y los de Aarón, que sí lo fueron.

Moisés manda llamar a Datan y Abirón, pero ellos se rehúsan a ir, desafiando la autoridad de Moisés.

Lectio divina

Dedica de 8 a 10 minutos a la contemplación silenciosa del siguiente pasaje:

Dios entregó los mandamientos a los judíos y a los cristianos de la misma manera. Estos mandamientos vienen de la autoridad de Dios. En el Nuevo Testamento, Jesús los aplica en el Sermón de la Montaña de una manera más positiva. Jesús se sienta, esto es, adopta una posición de autoridad usada por los líderes religiosos de su tiempo (cf. Mt 5-7). Más tarde en su ministerio, Jesús purificará el tempo de Jerusalén. Cuando lo haga, los jefes de los sacerdotes y los ancianos del pueblo le preguntarán: "¿Con qué autoridad haces esto?" (Mt 21:23). Los cristianos en nuestros días creemos que Jesús, que es Dios, tiene la autoridad de Dios. Viviendo el Sermón de la montaña lo mejor que podamos, aceptamos la autoridad de Dios.

✠ *¿Qué puedo aprender de este pasaje?*

Día 5: Castigo de Datán, Abirón y Coré (Nm 16:16-34)

La historia vuelve a Coré. Moisés le ordena a él y a su facción que se presenten ante el Señor al día siguiente junto con Aarón, cada uno con su incensario encendido. Estos se presentaron ante la Tienda del Encuentro, al igual que Moisés y Aarón. Coré convocó contra ellos a toda la comunidad. La gloria de Dios se apareció y amenazó con destruir a toda la comunidad. Moisés y Aarón se postraron e intercedieron por ella. Dios les manda apartarse de la tienda de Coré, Datán y Abirón. La tierra se abrió bajo sus pies y los tragó. Todos los israelitas huyeron por miedo a que la tierra se los tragara también a ellos.

Lectio divina

Dedica de 8 a 10 minutos a la contemplación silenciosa del siguiente pasaje:

La gente estaba cansada, hastiada de la comida, atemorizada y frustrada. Comienzan a perder la fe en Moisés y en el Dios de Israel. A causa de su agotamiento y frustración, algunos miembros de la comunidad decidieron seguir a los líderes rebeldes que desafiaban a Moisés. En el Evangelio de san Mateo, Jesús reconoce que han surgido muchos falsos profetas que hacen promesas grandiosas de una vida mejor. Él nos advierte: "Guárdense de los falsos profetas, que vienen a ustedes con disfraces de ovejas, pero por dentro son lobos rapaces" (Mt 7:15). Quienes dirigieron la rebelión contra Moisés y contra el Señor prometieron guiar al pueblo de regreso a Egipto, que ellos identificaban como la tierra que manaba leche y miel. En realidad era una tierra de sufrimiento y muerte. Jesús nunca nos ha prometido que seguirlo sería fácil, pero sí nos dijo que debíamos tomar la cruz y seguirlo (cf. Mc 8:34-38). Estamos siempre en una peregrinación por el desierto de la vida hacia la Tierra Prometida.

✠ *¿Qué puedo aprender de este pasaje?*

Preguntas de reflexión

1. ¿Qué es lo que más te llama la atención del reporte de los exploradores enviados a inspeccionar la Tierra Prometida?

2. ¿Por qué apoya Dios a Caleb y Josué?

3. ¿Por qué no acepta Moisés la propuesta de Dios de darle un nuevo pueblo, más fiel?

4. ¿Qué queremos decir con la expresión "Dios es un Dios celoso"?

5. ¿Qué aplicaciones podemos sacar para nuestro tiempo de la historia de Coré, Datán y Abirón?

LECCIÓN 12

La estancia en Moab

NÚMEROS 16:35-36:13

¡Qué hermosas son tus tiendas, Jacob, y tus moradas, Israel! Como valles espaciosos, como jardines a la vera del río (Nm 24:5-6).

Oración inicial (ver página 14)

Contexto

Parte 1: Números 16:35-19:22. Los doscientos cincuenta hombres que se presentan ante el Señor con los incensarios mueren al brotar un fuego de YHWH. Dado que los incensarios fueron usados en una acción sagrada, el metal que quedó fue usado para cubrir el altar. Como en otras ocasiones, Moisés tiene que volver a interceder ante el Señor para que no destruya al pueblo a causa de sus pecados. Cuando el Señor manda una plaga sobre el pueblo, Dios manda a Moisés a que le diga a Aarón que corra al campamento para detener la plaga; sin embargo muchos alcanzaron a morir. El Señor aprueba el papel de Aarón como sumo sacerdote haciendo que su bastón retoñe.

    Parte 2: Números 20:1-36:13. María y Aarón mueren. Cuando el pueblo comienza a murmurar de nuevo, Dios manda serpientes venenosas que matan a un gran número. Dios manda a Moisés montar una serpiente de bronce en un palo para que quien quiera que la mire quede curado. Balak, un rey moabita, ve la multitud de israelitas acampada en la llanura y manda llamar al adivino Balaán para que los maldiga. Este, sin embargo, no puede maldecirlos porque el Señor se pone del lado de los israelitas. El Señor se enoja con ellos porque se prostituyen con mujeres y dioses extranjeros. Un nieto de Aarón mata a un hombre que lleva a una mujer madianita al campamento. Dios se complace en el nieto de Aarón.

PARTE 1: ESTUDIO EN GRUPO (NM 16:35-18:7)

Lee en voz alta Números 16:35-18:7.

El Señor escoge a Aarón (Nm 18:35-17:15)

La historia vuelve a los 250 hombres que se pusieron del lado de Coré. Mientras están delante del Señor poniendo incienso en sus incensarios, un fuego brota de YHWH y los consume. El Señor previno a Moisés y Aarón que se apartaran de ellos antes de que cayera el fuego. Haciendo esto, el Señor demuestra su preferencia por Moisés y Aarón.

Dado que los incensarios habían sido usados en una actividad sagrada, eran considerados sagrados y no podían ser simplemente tirados. El Señor dice a Moisés que le dé indicaciones a un hijo de Aarón, Eleazar, para que separe los incensarios de las brasas y los haga convertir en placas para cubrir el altar. Aparte de servir de cobertura para el altar, también serían un recordatorio para los israelitas de que una persona no autorizada (es decir, no descendiente de Aarón), no debería nunca acercarse al altar para ofrecer incienso al Señor. Si alguien no autorizado lo hacía, sufriría la misma suerte que Coré y su grupo. Este pasaje apoya la tradición que afirma que Coré murió con los 250 y no con Datán y Abirón.

El evento anterior provoca una protesta en masa contra Moisés y Aarón liderada por los cabecillas de la comunidad. Como consecuencia, Dios manda una plaga contra el pueblo, que se detiene solo porque Aarón corre a ofrecer incienso. Este episodio, que sirve para demostrar y poner en relieve el valor y eficacia del sacerdocio, es seguido por la prueba de los bastones.

El bastón de Aarón (Nm 17:16-26)

Al día siguiente Dios manda que cada jefe de familia patriarcal presente un bastón con su nombre escrito en él y lo deposite en la tienda del encuentro, delante del Arca. La expresión *familia patriarcal* quiere decir aquí lo mismo que "tribu" (hebreo *mateh*), pero se evita usar esta palabra que, en hebreo, significa también "bastón" para evitar confusiones. El líder de cada tribu usaba un bastón como símbolo de autoridad.

Durante la noche el bastón de Aarón, que representaba a la casa de Leví, retoñó, floreció y dio almendras milagrosamente, lo que era un signo de la elección divina. El Señor ordena a Moisés que deje el bastón de Aarón delante del Arca como signo de dicha elección. Estos dos hechos hacen que la gente se dé cuenta de la importancia y necesidad del sacerdocio para su sobrevivencia.

El sacerdocio de la descendencia de Aarón (Nm 17:27-18:8)

Estos hechos demuestran que solo los sacerdotes se deben acercar a Dios y hacen que la gente cobre conciencia de lo peligroso que es acercarse a la morada de YHWH. Esto lleva al capítulo 18 que resume los deberes y derechos de los sacerdotes y Levitas. Dios le dice a Aarón que él y sus hijos, junto con su familia patriarcal, es decir, la descendencia de la tribu de Leví, serán los responsables de servir en el santuario. Sin embargo, solo Aarón y su descendencia serán responsables de las faltas cometidas contra el santuario. Cualquier miembro de la tribu de Leví ejercerá su ministerio en el santuario, pero no deberán acercarse a los objetos sagrados ni al altar. Si Aarón o su descendencia les permiten desobedecer esta ley, todos los implicados, incluyendo los sacerdotes, morirán. Los efectos de los pecados cometidos por la tribu de Leví serán sufridos por toda la comunidad, demostrando su importancia dentro de la misma.

El Señor ha escogido a los Levitas de entre los israelitas para que sirvan en el santuario. Los Levitas son "donados" a YHWH. Aarón y sus hijos han de ejercer el sacerdocio en todo lo referente al altar y el área detrás del velo. Este velo se refiere al velo exterior o cortina del santuario. Dado que la llamada al sacerdocio es un don de Dios, quienquiera que sin pertenecer a la familia de Aarón se acerque al santuario, morirá.

El papel de los levitas (Nm 18:8-19:22)

Puedes saltar o solo hojear el texto bíblico de la siguiente sección
El Señor advierte a Aarón que él y su casa serán responsables por cualquier pecado relacionado con el santuario o el sacerdocio. Los otros levitas tienen sus deberes en el santuario. Todos los descendientes de Leví son un don para la comunidad, pero solo los descendientes de Aarón pueden realizar las funciones sacerdotales. Se deberán encargar de todas las contribuciones hechas al Señor y de recibir algunas contribuciones hechas como sacrificio. El Señor asigna una décima a los levitas en recompensa por sus trabajos. Solo los levitas pueden participar en los servicios de la Tienda del Encuentro. Los levitas deben pagar la décima de la

décima que reciben del pueblo. El Señor también da instrucciones a los sacerdotes para el sacrificio de la vaca roja. Las cenizas se usan para purificar a quien haya tocado un cadáver o haya entrado a una casa donde alguien haya muerto o esté en esa casa cuando alguien muera. Los que necesitan purificarse sumergirán el hisopo en agua y rociarán con el agua la tienda. Lavarán entonces sus vestidos para purificarlos. Todo lo que una persona impura toque se volverá impuro.

Preguntas de reflexión

1. ¿Qué es lo que nos dice la muerte de los 250 hombres y sus incensarios a propósito de la importancia de estar autorizados para cumplir nuestro papel en la vida?
2. ¿Por qué es significativo que Aarón tome su incensario para sanar al pueblo de la plaga?
3. ¿Por qué es importante que Dios establezca los deberes de la descendencia de Aarón dentro de la tribu de Leví?

Oración final (ver página 15)

Reza ahora la oración final o después de la *Lectio divina*.

Lectio divina (ver página 8)

Relájate y mantén una postura de oración (espalda recta, ojos cerrados, pies apoyados en el suelo). Este ejercicio puede durar cuanto gustes, pero en el contexto de este estudio bíblico, de 10 a 20 minutos deberían ser suficientes.

Las meditaciones que siguen se ofrecen para ayudar a los participantes a usar esta forma de oración, pero hay que considerar que la *Lectio* está pensada para conducirlos a un ambiente de contemplación orante, donde la Palabra de Dios habla al corazón de quien la escucha (ve la página 8 para más instrucciones).

El Señor elige a Aarón (Nm 16:35-17:15)

El uso del incienso en la oración es muy antiguo. Así como el incienso sube al cielo, las oraciones de los fieles suben a Dios. En el salmo 141:2 podemos leer: "Que mi oración sea como incienso para ti, mis manos alzadas, como ofrenda de la tarde". En el Evangelio de san Lucas leemos que un ángel del Señor visitó a Zacarías, padre de Juan Bautista, mientras ofrecía incienso en el santuario.

La Iglesia sigue usando el incienso en el culto como imagen de las oraciones de los fieles que suben ante Dios. Con la historia de las 250 personas que pusieron incienso en sus incensarios, el autor nos quiere decir que ofrecer incienso y oraciones en nombre de la comunidad sin haber sido escogido para ello es una ofensa a Dios. Estaban ejerciendo un oficio sacerdotal, pero no eran sacerdotes de la familia de Aarón. Dado que ofrecen incienso, su acción es sagrada, pero no por ello deja de ser un acto de rebelión. Dios llamó a los israelitas a que fueran un pueblo elegido, pero cada uno tiene su propio papel dentro de la comunidad, así como ha sido establecido por Dios. Su pecado es querer ejercer un ministerio sacerdotal que no les pertenece.

✠ *¿Qué puedo aprender de este pasaje?*

El bastón de Aarón (Nm 17:16-26)

Dio escogió a Aarón por encima de los otros líderes de las tribus de Israel. Esta elección estableció la autoridad de Aarón para servir como sacerdote al pueblo. En el Evangelio de san Juan, las palabras de Jesús nos dicen que él nos escoge para que vivamos nuestra fe en las circunstancias en que nos encontremos. Él dice a sus discípulos: "No me han elegido ustedes a mí, sino que yo los he elegido a ustedes, y los he destinado para que vayan y den fruto, y que su fruto permanezca" (Jn 15:16). Jesús ha escogido a cada cristiano bautizado para que vaya y dé fruto permaneciendo fiel a las palabras de Cristo en cualquier forma de vida o trabajo que realice. La fe en Dios es un don y él lo concede a quien él quiere. Así como Aarón fue escogido por Dios, de la misma manera también nosotros somos escogidos para hacer presente a Cristo en la tierra, dondequiera que trabajemos o vivamos, o incluso si estamos inactivos y no podemos movernos.

✠ *¿Qué puedo aprender de este pasaje?*

El sacerdocio de la descendencia de Aarón (Nm 17:27-18:7)

La naturaleza humana tiende a juzgar la situación de los demás ante Dios de acuerdo con criterios mundanos. Cuanto más encumbrado está alguien, más parece que Dios lo ama; esto parece especialmente válido cuando este encumbramiento sucede dentro de la Iglesia. En la Carta a los hebreos el autor nos dice que "no hay parcialidad en Dios". La realidad es que a los ojos de Dios no hay vocaciones más altas o más bajas, sino que todas son importantes. El apóstol Pablo expresa esta idea cuando compara a la Iglesia con el cuerpo de Cristo. Dice que cada persona en el cuerpo de Cristo tiene una llamada especial con dones dados para el bien común (cf. 1 Cor 12:7). Pablo escribe: "Y no puede el ojo decir a la mano: «¡No te necesito!» Ni la cabeza a los pies: «¡No los necesito!» Más bien, los miembros del cuerpo que tenemos por más débiles, son indispensables" (1 Cor 12:21-23). Dios escogió a Aarón para una misión especial, pero eso no quiere decir que Dios amara a Aarón más que al más pobre o al más débil de los israelitas. Muchos de los santos estuvieron entre lo más débiles, los más pobres y los menos educados.

✠ *¿Qué puedo aprender de este pasaje?*

PARTE 2: ESTUDIO INDIVIDUAL (NÚMEROS 20-25)

Día 1: Muerte de María y Aarón (Nm 20:1-29)

El recorrido de Egipto a Canaán está narrado en el Pentateuco en tres etapas: de Egipto al Sinaí (Éx 12:37-19:1), del Sinaí a Kadesh (Nm 10:11-12:16) y de Kadesh a las llanuras de Moab (Nm 20:1-22:1). Nos encontramos en la etapa final del viaje, no solo para los israelitas, sino también en otro sentido, para María y Aarón, que mueren durante el mismo. La muerte de María es referida de forma muy breve en 20:1.

El episodio que sigue se parece en muchos aspectos al que encontramos en Éx 17:1-7 (las aguas de Meribá). La gente se lamenta de la falta de agua y se queja con Moisés de que los ha llevado ahí a morir. Moisés y Aarón se postran ante el Señor que le da instrucciones a Moisés para que haga salir agua de una roca. Moisés golpea la roca y sale agua de la misma. En el primer episodio (Éx 17:1-7), aparte de unas ásperas palabras por parte de Dios, todo termina tranquilamente. Esta vez, en cambio, el pasaje termina con Moisés y Aarón que son condenados a morir fuera de la Tierra Prometida (20:12). ¿Qué es lo que pasó en esta ocasión que condujo a semejante condena de los líderes de Israel?

La razón no está clara en el texto y se han propuesto diversas explicaciones. La recriminación de Moisés "Escúchenme, rebeldes. ¿Haremos brotar de esta peña agua para ustedes?" (20:10) podría ser considerada como arrogancia de parte de Moisés y Aarón: ¿estarán sugiriendo que ellos tienen un poder que pertenece solo a Dios? Más adelante (20:24), Dios dice que los dos, Moisés y Aarón, se rebelaron en Meribá. Rebelión indica desobediencia y, de hecho, una lectura atenta del texto revela que no obedecieron a Dios al pie de la letra. Dios le dijo a Moisés que tomara el cayado y *hablara* a la roca, pero Moisés la *golpeó* dos veces. Aunque esto parece solo un pequeño detalle, se esperaba que los líderes de Israel fueran delicadamente fieles a los mandamientos de Dios. Levítico

10:1-2 cuenta la historia de los dos hijos de Aarón que murieron por ofrecer un fuego no autorizado; ahora su padre y tío comenten un error semejante. Está claro que el Pentateuco tiene especial interés en dejar claro que es necesario cumplir la Ley con exactitud.

A continuación, Moisés manda mensajeros al rey de Edom, pidiendo que los dejen pasar por sus tierras y prometiendo no tocar ni los sembrados ni el agua. Los edomitas eran descendientes de Esaú, hermano de Jacob. Edo les negó el paso e Israel tuvo que hacer un rodeo. Esta es la razón por la cual llegaron a la tierra por el Este y no por el Sur.

El pueblo llega al monte Hor, en la frontera de Edom, ahí es donde muere Aarón (20:21-29), pues al igual que Moisés, no podrá entrar en la tierra por haber desobedecido al Señor. La muerte de Aarón hizo necesario que alguien lo sustituyera en su función de sumo sacerdote. El elegido fue su hijo Eleazar, que recibe las vestiduras de Aarón como símbolo de la sucesión. Los israelitas hicieron luto por Aarón los 30 días acostumbrados.

Lectio divina

Dedica de 8 a 10 minutos a la contemplación silenciosa del siguiente pasaje:

Podemos imaginarnos la vacilación de Moisés al pensar que una roca podría dar agua a toda la multitud de gente sedienta que estaba delante de él. Dado que el agua era tan valiosa para la vida en el desierto, esta era una oportunidad para probar que el Señor estaba con ellos y verdaderamente los amaba. Lo único que Moisés tenía que hacer era ordenar a la roca que produjera un río de agua. Era demasiado simple, así que Moisés vaciló. En el Evangelio de san Juan (4:4-26), leemos la historia de Jesús que le dice a la mujer samaritana que él le iba a dar agua viva a ella y a otros. Nosotros los cristianos reconocemos esa agua viva como una referencia al agua bautismal. La acción de bautizar sucede por medio del simple acto de derramar agua sobre la cabeza de una persona y pronunciar unas palabras concretas. Es tan sencillo como la indicación que Dios dio a Moisés de mandarle a la roca que diera agua. En el Bautismo, un gran cambio sucede en la persona, pero nosotros tenemos dificultad para darnos cuenta del impacto de ese momento, precisamente por la sencillez de las acciones. Dios, sin embargo, lleva a cabo milagros extraordinarios de manera ordinaria.

✠ *¿Qué puedo aprender de este pasaje?*

Día 2: La serpiente de bronce (Nm 21:1-22:1)

2:1-3 presentan la primera de varias victorias sobre los cananeos y los amorreos. Estas victorias preanuncian la campaña de conquista de la Tierra Prometida. 21:4 vuelve a la comunidad que está partiendo del monte Hor. Otra vez el pueblo comienza a quejarse contra Moisés por haberlo sacado de Egipto, llevándolo al desierto a morir. Esta vez no son castigados con una plaga, sino con un ataque de serpientes venenosas. Una vez más es la oración de Moisés la que salva al pueblo. Dios le manda hacer una serpiente de bronce y ponerla sobre un palo de manera que quienquiera que haya sido mordido la vea y se cure.

Los israelitas continúan su caminar evitando la tierra de Edom. Cuando llegan a la tierra de los amorreos se repite la escena con Moab: Moisés manda mensajeros para pedir autorización de pasar por su tierra, pero le es negada. Esta vez, sin embargo, Israel se enfrenta con los amorreos y los derrota, tomando posesión de su tierra.

Lectio divina

Dedica de 8 a 10 minutos a la contemplación silenciosa del siguiente pasaje:

En el Evangelio de san Juan, Jesús hace una referencia directa a este pasaje acerca de la serpiente que es puesta en el palo para que todos la vean: "Y como Moisés elevó la serpiente en el desierto, así tiene que ser elevado el Hijo del hombre, para que todo el que crea tenga en él la vida eterna" (Jn 3:14-15). Jesús está hablando de su muerte en la cruz. Él sabe que el pecado es un veneno espiritual y se ofrece como remedio para ese veneno, exactamente como Moisés hizo la serpiente como remedio físico para su pueblo. Cuando los israelitas miraban a la serpiente, sanaban; cuando los cristianos contemplan la pasión, muerte, resurrección y ascensión de Cristo, pueden reconocer que Jesús murió y resucitó para sanar a los pecadores. El evento de la serpiente levantada en el desierto prepara para el día en que Jesús será levantado en la cruz para traer sanación espiritual sobre el mundo.

✠ *¿Qué puedo aprender de este pasaje?*

Día 3: Censo, sacrificios y conquista (Nm 26-36)

Los capítulos finales del libro de los Números tratan temas relacionados con la comunidad, tales como el segundo censo, formas de sacrificios, la realización de votos, la división del botín de guerra, revisión de los lugares visitados por los israelitas, leyes concernientes a los asesinos y la herencia de las mujeres que se casan con un hombre de otra tribu. Un evento importante tiene lugar en 27:22: Moisés impone las manos sobre Josué, siguiendo las instrucciones del Señor y le da la comisión de guiar al pueblo en la batalla y cuando entren en la Tierra Prometida.

El Señor escoge a Josué para que la comunidad no se quede como ovejas sin pastor. Después de la derrota de los madianitas, el capítulo 31 trata temas relacionados con el trato a los cautivos, la purificación antes de la batalla y la división y los tipos de botín permitidos. Las tribus de Gad y Rubén querían quedarse en el área al Este del Jordán donde se encontraban, pero prometieron ayudar en la invasión de la tierra de Canaán. El libro termina afirmando que estos son los mandamientos dados por el Señor a través de Moisés junto al río Jordán, al otro lado de Jericó.

Nota: en este día no se contempla *Lectio divina*.

Preguntas de reflexión

1. ¿Por qué se habrá enojado Dios con Moisés y Aarón con sus acciones, cuando le ordenaron a la roca que diera agua para el pueblo?
2. ¿Por qué crees que el pueblo seguía rebelándose, después de todo lo que Dios había hecho por ellos?
3. ¿De qué manera afectó a los israelitas la muerte de María y Aarón?
4. ¿Por qué permitió Dios a Moisés hacer la imagen de una serpiente, si Dios mismo había prohibido hacer imágenes?
5. ¿Por qué es tan interesante y especial la historia de Balaán? Explica.
6. ¿Por qué Dios está contento de Pinjás, cuando mata al hombre que llevó a la mujer madianita a su tienda?

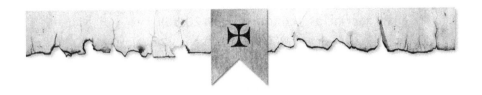

El primer sermón de Moisés

DEUTERONOMIO 1:1-4:43

¿Hubo jamás desde un extremo a otro del cielo cosa tan grande como esta? ¿Se oyó algo semejante? ¿Hay algún pueblo que haya oído como tú has oído la voz del Dios vivo hablando de en medio del fuego, y haya sobrevivido? (Dt 4:32-33).

Oración inicial (ver página 14)

Contexto

Parte 1: Deuteronomio 1:1-2:15. Este es el primero de tres sermones que Moisés pronuncia y que forman el libro del Deuteronomio. En ellos, Moisés recorre el viaje desde Egipto y las dificultades que el pueblo encontró por el camino. Les expresa que no puede llevar él solo la carga de todo el pueblo y les pide que escojan a hombres sabios y él los nombra jueces en su lugar. Moisés les recuerda el envío de los exploradores para inspeccionar la Tierra Prometida y el miedo que experimentaron cuando vieron a la gente del lugar y sus fortificaciones. Los exploradores atemorizaron a la gente y temieron morir en el intento de conquistar la tierra. Dios le dijo que él no iba a entrar en la Tierra Prometida y que la gente de esa generación no entraría tampoco debido a su falta de confianza. Algunos intentaron invadir sin la ayuda del Señor, pero fueron derrotados. Deberán vagar por el desierto hacia el Mar Rojo.

Parte 2: Deuteronomio 2:16-4:49. El poder del Señor a favor de los israelitas se vuelve más evidente en sus victorias contra ejércitos más poderosos. Cuando se establecen en la tierra de Moab, las tribus de Rubén, Gad y Manasés desean quedarse ahí, pero Moisés les hace prometer que participarán en la invasión de la Tierra Prometida. Para este tiempo la mayor parte de la generación original ha muerto. Moisés sigue el tema común del libro urgiendo a la gente a permanecer fiel a la Alianza. También les insta a que, cuando estén en la Tierra Prometida, enseñen a sus hijos los Mandamientos y la necesidad de evitar la adoración de falsos dioses. De nuevo Moisés afirma que él no entrará en la tierra.

PARTE 1: ESTUDIO EN GRUPO (DT 1:1-2:15)

Lee en voz alta Deuteronomio 1:1-2:15

La ley promulgada por Moisés (Dt 1:1-8)

El libro inicia indicando que lo que se va a leer viene de Moisés. La necesidad de permanecer fieles a la alianza hecha entre Dios y el pueblo es el tema principal del Deuteronomio. Moisés comienza repasando la historia de Israel desde la salida del Sinaí (llamado Horeb en Deuteronomio) hasta su llegada a las llanuras de Moab. Esto sirve para establecer el tono general del libro.

Los versículos 1:1-5 son un corto resumen que crea el contexto para el primer sermón de Moisés, que comienza en 1:6. No son introducidos como palabras de Moisés, sino que consisten en un comentario editorial presentando a Moisés como el principal orador del libro. En los libros anteriores del Pentateuco, Moisés tiene un encuentro con el Señor cada vez que va a hablar con el pueblo y luego va y comunica lo que Dios le ha dicho. En el Deuteronomio, sin embargo, habla de todo lo que Dios le ha mandado sin señales aparentes de que haya consultado antes con YHWH. Podemos decir que en el Deuteronomio Moisés presenta una interpretación de la Ley que le fue dada en el Sinaí.

Los versículos 6-8 son el texto que Moisés toma como punto de referencia, una cita de las palabras de Dios en el Sinaí: «Ustedes ya han estado bastante tiempo en esta montaña. ¡En marcha!... Miren: Yo he puesto esa tierra ante ustedes; vayan a tomar posesión de la tierra que Yahvé juró dar a sus padres, Abrahán, Isaac y Jacob, y a sus descendientes.».

El texto anterior refiere unas palabras dichas por YHWH cuarenta años antes, pero ellos no habían aún entrado en la tierra y Moisés mismo había recibido el anuncio de que nunca lo haría. ¿Qué es lo que falló? ¿Qué pueden hacer los oyentes para asegurar el cumplimiento de la promesa? Estos son los temas que Moisés va a tratar en primer lugar.

Nombramiento de jueces (Dt 1:9-18)

Moisés recuerda a los israelitas que él tuvo necesidad de ayuda para guiarlos ahora que se habían convertido en un pueblo como las estrellas del cielo, en clara alusión a la promesa hecha a Abrahán (Gn 15:5). El Deuteronomio construye su mensaje sobre las promesas y decisiones que se encuentran en los anteriores libros del Pentateuco.

Para resolver el problema de la incapacidad de Moisés de gobernar a un pueblo tan numeroso, nombra jefes para cada una de las tribus, de forma que actúen como jueces. Dividió al pueblo en grupos más pequeños y manejables con líderes para cada grupo. Tratando de hacer que los jefes juzgaran las causas así como él lo habría hecho, les da instrucciones: no actuar con favoritismos y llevarle las causas más difíciles a él. Este evento muestra la específica perspectiva de Deuteronomio: en Éxodo (18:13-27) es Jetró quien aconseja a Moisés nombrar jueces; de acuerdo con Números (11:16-30), Dios mismo da el mandato a Moisés; en cambio, en Deuteronomio la iniciativa viene directamente de Moisés.

Miedo a los habitantes de la Tierra Prometida (Dt 1:19-46)

Esta sección relata la llegada a Cades Barnea, la frontera misma de la Tierra Santa. Ahí es donde Israel falló. Moisés les recuerda sumariamente el episodio de los exploradores (Nm 13-14), pero lo cuenta de una manera que subraya más la culpa del pueblo de lo que hace el libro de Números. Esa es la razón por la cual nadie de la vieja generación entrará en la tierra, excepto Caleb y Josué. Incluso el mismo Moisés fue excluido. Números relaciona la exclusión de Moisés con el episodio de Meribá (cf. Nm 20:2-13). Su muerte inminente pende sobre todo el libro: el pueblo no podrá tomar posesión de la tierra hasta que Moisés muera.

Moisés también les recuerda que, cuando se dieron cuenta de que no iban a entrar en la tierra, desobedecieron al Señor y fueron a pelear contra los amorreos y esto no obstante que Dios les había dicho que no iba a estar con ellos. El tema de la desobediencia y la falta de confianza en Dios está presente de forma constante en Éxodo y Números, y es una actitud que el Deuteronomio trata de cambiar en la nueva generación. Como resultado de la desobediencia, los que fueron a pelear fueron derrotados y matados por los amorreos.

A través de la repetición de historias ya conocidas, pero con nuevos énfasis, Moisés va desarrollando una teología basada en la idea de que Dios bendice a los que lo obedecen y maldice a los que lo desobedecen.

El viaje continúa (Dt 2:1-15)

Finalmente, la sentencia se cumplió y el capítulo 2 nos presenta a los israelitas de nuevo en marcha, rodeando los territorios de Edom, Moab y Amón, a los que no debían atacar porque eran hermanos de Israel (según el Génesis, Edom e Israel, esto es, Jacob y Esaú, son gemelos; Moab y Amón son primos de Israel, cf. Gn 25:25-26; 19:37-38). Como también ellos participan de alguna manera en la promesa hecha a Abrahán, pues son parte de su descendencia, también a ellos Dios les ha dado sus tierras. En ese sentido es también una prueba de la fidelidad de Dios, que dará con seguridad su tierra a Israel.

Moisés apunta que el tiempo de camino desde Cades Barnea hasta el torrente Zered, frontera entre Moab y Amón, fue de 38 años y que para entonces la generación completa de los rebeldes ya había perecido. Están al final del camino y Moisés subraya que todo se ha cumplido como el Señor había anunciado. La muerte de toda la generación anterior muestra la mano de Dios en acción.

Preguntas de reflexión

1. ¿Por qué tardaron tanto los israelitas en llegar desde Egipto a la Tierra Prometida?
2. ¿Cuál es el valor y la importancia de los cuarenta años pasados por los israelitas en el desierto?
3. ¿Por qué se preocupa Moisés de establecer jueces en el desierto?
4. ¿Cómo esperaba Moisés cambiar las actitudes del pueblo en relación con la necesidad de ser fieles a la alianza? Desarrolla.

Oración final (ver página 15)

Haz la oración final ahora o después de la *Lectio divina*.

Lectio divina (ver página 8)

Relájate y mantén una postura de oración (espalda recta, ojos cerrados, pies apoyados en el suelo). Este ejercicio puede durar cuanto gustes, pero en el contexto de este estudio bíblico, de 10 a 20 minutos deberían ser suficientes.

Las meditaciones que siguen se ofrecen para ayudar a los participantes a usar esta forma de oración, pero hay que considerar que la *Lectio* está pensada para conducirlos a un ambiente de contemplación orante, donde la Palabra de Dios habla al corazón de quien la escucha (ve la página 8 para más instrucciones).

La Ley promulgada por Moisés (Dt 1:1-8)

El libro del Deuteronomio habla de una fidelidad a la Alianza que exige fe en Dios. Dios manda ahora a los israelitas a dejar su campamento y a caminar a través de tierras custodiadas por otros pueblos, algunos amigos y otros no tanto. Deben confiar en Dios en su caminar, algo que aparece demasiado difícil para ellos a veces y los hace quejarse, y que otras veces hacen con fidelidad. El camino de los israelitas por el desierto refleja de muchas maneras nuestro camino por la vida. También nosotros necesitamos fe y confianza en Dios para creer que él está con nosotros en las buenas y en las malas. A veces nuestra fe nos puede sostener a través de períodos muy difíciles y otras podemos preguntarnos dónde está Dios en medio de todas nuestras luchas. Un tema muy importante que encontramos en los Evangelios es el de la fe. En ocasiones, Jesús lamenta la falta de fe de los discípulos y alaba mucho a la gente que demuestra fe. El Evangelio de san Marcos cuenta que cuando la gente de Nazaret se rehúsa a creer en Jesús, él no pudo hacer grandes obras ahí. El Señor quiere guiarnos, pero debemos mostrarnos abiertos a sus inspiraciones.

✠ *¿Qué puedo aprender de este pasaje?*

Nombramiento de jueces (Dt 1:9-18)

Aunque Moisés confiaba en la ayuda de Dios, no se olvidaba, sin embargo, de que era humano y necesitaba ayuda. En este episodio, la gente lo ayuda apoyándolo en el nombramiento de jefes para que juzguen los casos que les presenten los israelitas. Nosotros también confiamos en que Dios está con nosotros, pero no deberíamos nunca presumir que Dios nos va a ayudar si nosotros no hacemos la parte que nos corresponde. Dios sabe que tenemos que discernir con nuestra inteligencia el camino que seguiremos en la vida. En el Evangelio de san Mateo, cuando Jesús envía a los doce a misionar, les dice que los envía como ovejas entre lobos, así que tienen que ser "prudentes como las serpientes y sencillos como las palomas" (10:16). En medio de las dificultades de la vida, podemos encontrar situaciones que requieren que usemos el ingenio que Dios nos dio, siendo prudentes como serpientes al resolver retos personales. Al mismo tiempo, deberíamos ser sencillos y mansos como palomas, es decir, que no deberíamos hacer sufrir a los demás solo para lograr nuestros objetivos. Así como los jueces nombrados por Moisés, debemos luchar para ser justos y leales con los demás.

✠ *¿Qué puedo aprender de este pasaje?*

Miedo a los habitantes de la Tierra Prometida (Dt 1:19-46)

Los israelitas vieron todo lo que el Señor había hecho por ellos, pero aun así a muchos les faltó fe, especialmente cuando YHWH los invitó a actuar en circunstancias que parecían imposibles. Dios les había prometido estar con ellos contra los más poderosos enemigos, pero los exploradores les hicieron que se olvidaran de esa promesa e introdujeron el miedo en sus corazones. En ocasiones la fe requiere que confiemos en que lo imposible puede suceder. En el Evangelio según san Mateo (17:20-21), Jesús dice a sus discípulos que si tienen fe como un granito de mostaza podrán mover montañas. Con esto nos recuerda que nada es imposible con Dios. Eso no significa que podemos hacer algo tan superficial como mover montañas a voluntad, sino que con ayuda de Dios podemos realizar grandes acciones en situaciones que parecen imposibles.

Algunos de los israelitas, al oír que no entrarían en la Tierra Prometida, decidieron intentar por su cuenta conquistar la tierra sin la ayuda de Dios. Fueron derrotados. San Francisco de Asís, quien sí creía que con ayuda de Dios podía realizar milagros, fundó la orden franciscana, que tuvo un efecto milagroso en la fe de Europa. Confianza en Dios y oración son los fundamentos de obras maravillosas en el mundo. San Francisco movió montañas fundando una orden que cambaría los corazones y las vidas de una gran parte de la gente de Europa de su tiempo.

✠ *¿Qué puedo aprender de este pasaje?*

El viaje continúa (Dt 2:1-15)

En su camino por el desierto los israelitas descubren que la generación que salió de Egipto no entraría en la Tierra Prometida. A pesar de todos los milagros que Dios realizó para ellos, seguían quejándose y rebelándose contra él. Los signos de la protección divina eran evidentes, pero ellos los ignoraban y pedían aún más. A los ojos de Dios no eran dignos de entrar en la Tierra Prometida.

Jesús también tuvo que enfrentar a la gente que rehusaba aceptar los signos y maravillas que él realizaba. Ellos pretendían que él hiciera un milagro en el momento en que ellos quisieran. En el Evangelio de san Lucas leemos que Jesús dice a la multitud: "«Esta generación es una generación malvada; pide un signo, pero no se le dará otro signo que el signo de Jonás" (Lc 11:29). Para la generación de cristianos posterior a la Resurrección, el signo de Jonás se refiere a la resurrección de Cristo, que resucitó de la tumba a los tres días, así como Jonás salió después de tres días del vientre del pez. Nuestra fe no depende de signos extraordinarios, sino de la resurrección de Jesús. Después de su resurrección, Jesús dice al apóstol Tomás: "Dichosos los que no han visto y han creído" (Jn 20:29). Si vivimos con esta fe, estamos listos para la Tierra Prometida.

✠ *¿Qué puedo aprender de este pasaje?*

PARTE 2: ESTUDIO INDIVIDUAL (DT 2:16-4:43)

Día 1: Bendiciones por la fidelidad (Dt 2:16-3:11)

Cuando la generación original había ya muerto, Dios dio instrucciones a Moisés para que dejaran la tierra de Ar y el territorio de Moab. Les avisa que se encontrarán con los amonitas, pero les advierte que no deben combatirlos, porque él mismo había prometido la tierra a los descendientes de Lot. A causa de esa promesa divina, no podían esperar derrotar a los amonitas en batalla. El Señor desalojó de su tierra a otros pueblos más poderosos para dar la tierra a los amonitas. También por causa de los descendientes de Esaú, que vivían en Seir, el Señor desalojó a los joritas para que los descendientes de Esaú pudieran habitar la tierra.

Una ulterior reafirmación por parte de YHWH viene de las exitosas campañas contra Sijón y Og en la parte norte de la Transjordania. El Señor recompensó a los israelitas con la victoria sobre Sijón a causa de su obediencia, cuando les ordenó no invadir la tierra de los amonitas. Esta historia ha sido ya referida en Nm 21:21-35, pero es mencionada aquí como confirmación de que Israel será capaz de conquistar la Tierra Prometida. Si Israel puede vencer a gigantes como Og, cuya cama medía 9 codos (4 metros), seguramente podrá vencer a los Nefilim de Canaán que tanto habían asustado a los exploradores (cf. Nm 13:28.33). Estas victorias, así como el asentamiento de las tribus de Rubén, Gad y Manasés eran un modelo a seguir para cuando las otras tribus conquistaran la tierra. Moisés dijo a Josué: "Tus propios ojos han visto todo lo que Yahvé su Dios ha hecho con estos dos reyes; lo mismo hará Yahvé con todos los reinos por donde vas a pasar" (Dt 3:21).

Lectio divina

Dedica de 8 a 10 minutos a la contemplación silenciosa del siguiente pasaje:

Una mujer le contó a una amiga que tenía miedo de volar porque a ella le gustaba tener todo bajo control. Cuando ella manejaba un coche, ella tenía el control; pero cuando alguien más estaba piloteando el avión, ella tenía que confiar en el piloto. Para esa mujer era algo difícil. Los israelitas en el desierto tenían que confiar en Dios. En ocasiones intentaron tomar el control, pero siempre terminaron mal.

Durante su camino, los israelitas se dieron cuenta de los éxitos que tuvieron en la batalla y fácilmente olvidaron que sus victorias habían venido de su confianza en el Señor. Moisés tuvo que recordarles con frecuencia que su fuerza venía de esa confianza en Dios. Mucha de nuestra fuerza depende de nuestra confianza en Dios. En el Evangelio de san Lucas, Jesús nos dice que confiemos en Dios y añade: "Pues si a la hierba que hoy está en el campo y mañana se echa al horno, Dios así la viste ¡cuánto más a ustedes, hombres de poca fe!" (Lc 12:28). Así como los israelitas confiaron en Dios en el desierto, nosotros también tenemos que confiar en él todos los días. Tenemos que tomar decisiones, pero oramos y pedimos a Dios que nos guíe, confiando en que él, que viste la hierba del campo, estará siempre con nosotros y se ocupará de nuestro bienestar espiritual y físico.

✠ *¿Qué puedo aprender de este pasaje?*

Día 2: Distribución de la tierra a Rubén, Gad y Manasés (Dt 3:12-29)

Moisés distribuye la tierra conquistada a las tribus de Rubén y Gad y media tribu de Manasés. Este era uno de los hijos de José, que fueron adoptados por Jacob. Estos territorios no estaban dentro de la Tierra Prometida, pero estas tribus consideraron que las llanuras de Moab eran suficientemente ricas para ellos y pidieron permiso para establecerse ahí. El permiso les fue concedido, pero tuvieron que comprometerse a ayudar a las otras tribus en la conquista de la tierra. Las mujeres, los niños y el ganado quedaron exentos de ir a batalla, de manera que las familias pudieran asentarse en sus tierras.

Moisés anima a Josué recordándole todo lo que Dios ha hecho contra Sijón y Og, permitiéndoles a los israelitas conquistar sus reinos y predice que el Señor hará lo mismo con todos los reinos que encuentren en la tierra. No tienen que temer porque el Señor va a luchar con ellos.

Moisés le rogó al Señor que le permitiera entrar en la Tierra Prometida. Sin embargo, aunque su oración por los israelitas había sido escuchada en muchas otras ocasiones, en esta ocasión es rechazada pues, "por culpa de ustedes, Yahvé se irritó contra mí y no me escuchó" y YHWH le confirma su sentencia: "No pasarás ese Jordán. Da tus órdenes a Josué, dale ánimo y valor, porque él pasará al frente de este pueblo: él lo pondrá en posesión de esa tierra que ves" (Dt 3:26-28).

En diversos lugares se habla de que Dios no permitirá a Moisés entrar en la Tierra. Aunque algunas de las tradiciones se centran en el episodio del agua sacada de la roca (Nm 20:2-13), sin embargo, la razón del enojo de Dios contra él no es explicitada nunca. El Deuteronomio presenta aquí la muerte de Moisés como un requisito necesario para el cumplimiento de la promesa. Él muere para que el pueblo pueda entrar y tomar posesión de la misma. Es, en efecto, por los pecados del pueblo, que él debe morir.

Lectio divina

Dedica de 8 a 10 minutos a la contemplación silenciosa del siguiente pasaje:

En el Evangelio de san Juan, leemos que las últimas palabras de Jesús en la cruz fueron "todo está cumplido" (Jn 19:30). Jesús tenía una misión en la vida y ahora que estaba cumplida, podía decir que había terminado su misión. Pronto vendría su resurrección. Dios dice a Moisés que no entrará en la Tierra Prometida y le ordena encargarle a Josué que guíe al pueblo a la Tierra Prometida. Conforme su muerte se aproxima, Moisés puede decir lo mismo que Jesús, es decir, que su misión en la vida está terminada. Por cuarenta años tuvo la poco envidiable tarea de guiar un pueblo rebelde a través de un desierto áspero. Cada día era una lucha por la vida y la ingratitud de la gente hacía el viaje todavía más pesado. Moisés no estaba preparado para morir. Quería entrar a la Tierra Prometida, pero esa no era la voluntad de Dios para él. También nosotros tenemos una misión que cumplir en nuestra vida. Cuando nos llegue el tiempo de morir, ojalá podamos mirar hacia atrás y decir "todo está cumplido". Quizás queramos seguir adelante, pero será el tiempo de aceptar que nuestra misión en la vida ha llegado a su fin.

✠ *¿Qué puedo aprender de este pasaje?*

Día 3: Escuchar la voz de Dios (Dt 4:1-24)

Este capítulo expresa con apasionada elocuencia el corazón de la teología del Deuteronomio: la obediencia a la Ley es el secreto de la sobrevivencia y éxito de Israel. El versículo inicial y final del capítulo ponen esto muy claro: "Y ahora, Israel, escucha los preceptos y las normas que yo les enseño, para que las pongan en práctica, a fin de que vivan y entren a tomar posesión de la tierra que les da

Yahvé, Dios de sus padres" (Dt 4:1; cf. 4:40).

"Y ahora" introduce la consecuencia lógica de todo el repaso de la historia de Israel que Moisés ha hecho hasta el momento. Dicha historia ha mostrado que cuando Israel ha seguido las indicaciones de Dios, ha tenido éxito derrotando a sus enemigos; pero cuando ha desobedecido, han fracasado. Moisés los reta a que no cometan el mismo error de nuevo.

Dado que la generación que tuvo la experiencia del Sinaí ya había muerto, Moisés se dirige a quienes no fueron testigos de los eventos que tuvieron lugar cuando Dios les dio los Mandamientos. Aquí Moisés explica partes de la Ley con más detalle. Aunque las leyes y decretos dados por Moisés eran de carácter religioso, sin embargo, eran también las leyes que los unían políticamente. La Alianza es la pieza central de la Ley.

Se pide completa obediencia, no una observancia aproximada: "No añadirán nada a lo que yo les mando, ni quitarán nada" (Dt 4:2). Las experiencias recientes en Baal Peor han mostrado las consecuencias desastrosas de desobedecer a YHWH. En lugar de imitar a los otros pueblos en sus costumbres, Israel debe ser ejemplo para ellos. Moisés los invita a mostrar al mundo qué significa que Dios esté tan cerca de ellos. Los dioses que adoran otras naciones son distantes y no se preocupan de las vidas de las personas. Son adorados más por miedo que por amor, que es la forma en que YHWH quiere relacionarse con ellos. Dado que YHWH es el compañero siempre cercano de Israel, este debe permanecer fiel al Señor.

Moisés insiste a la gente que debe aprender de la forma en que vieron actuar al Señor entre ellos, para que enseñen las maravillas de YHWH a sus hijos.

La experiencia del Sinaí demuestra por qué Israel no debe hacer ídolos: ellos oyeron a Dios hablar, pero no lo vieron. Por tanto, sería muy inapropiado hacer ídolos para adorarlos (4:15-24).

Lectio divina

Dedica de 8 a 10 minutos a la contemplación silenciosa del siguiente pasaje:

En tiempos de Moisés la mayor parte de los pueblos adoraban varios dioses. Él los previene continuamente contra semejante idolatría. Muchos paganos creían que los dioses que adoraban les traerían salud, prosperidad y seguridad de los elementos naturales. Ahora podemos mirar atrás y darnos cuenta de lo insensatos que eran esos pueblos en hacer de esos dioses falsos e inexistentes algo central en su vida. Y sin embargo, también en nuestras vidas tenemos siempre la tentación de adorar diferentes tipos de dioses. Hay quien mira a la vida de los ricos y famosos, y reza para alcanzar algún día esa prosperidad. Comienzan a luchar por la riqueza, el lujo, la popularidad y otros deseos puramente humanos. A muchos, esta lucha los conduce a convertir sus deseos en dioses. En el Evangelio de san Mateo leemos que nadie puede servir a dos señores (6:24) y que donde está nuestro tesoro, ahí estará nuestro corazón (6:21). Quizá podemos reconocer fácilmente el error que implica adorar a dioses falsos, pero tenemos que preguntarnos si no hemos convertido en ídolos nuestros bienes materiales, por encima de la adoración debida al único Dios verdadero. La adoración de dioses falsos puede ser mucho menos anticuada de lo que pensamos.

✠ *¿Qué puedo aprender de este pasaje?*

Día 4: La fidelidad y amor de Dios (Dt 4:25-43)

Moisés advierte al pueblo que si, después de que pase el tiempo, se olvidan de los Mandamientos y adoran a los ídolos irritando al Señor, serán aniquilados y desaparecerán de la tierra. El Señor es un Dios celoso que no tolera la adoración de otros dioses. En la antigüedad, la gente veía a los dioses con características humanas y con debilidades humanas. Eran capaces de cólera, resentimiento, envidia y celos. Moisés usa las imágenes de su tiempo, presentado a YHWH como un Dios celoso, que no tolera la adoración de otros dioses.

La sección termina con un tema que no parece tener ninguna relación con lo anterior: las ciudades de refugio. En aquel tiempo, no habiendo una policía formal, se suponía que los familiares de alguien que hubiera sido asesinado debían vengar su muerte y así restablecer el equilibrio. Eso sucedía sin tomar en cuenta si la muerte había sido intencional o no. Por esta razón, quienquiera que matara a alguien estaba en peligro de muerte. Moisés reservó tres ciudades para que sirvieran de refugio a quien hubiera matado a alguien, a la espera de investigar si la muerte había sido intencional o no.

Lectio divina

Dedica de 8 a 10 minutos a la contemplación silenciosa del siguiente pasaje:

Moisés está muy preocupado de que la gente le vuelva la espalda a Dios y adore falsos dioses. También le preocupa que se creen su propia imagen de Dios, como si pudieran contener todo lo que Dios es en una imagen visible.

Un conferencista introdujo en una ocasión este tema diciendo al público que iba a hablar del Dios en el que él no creía. Dijo que no cree en un Dios que responde a todas nuestras oraciones concediéndonos exactamente lo que pedimos, aunque a veces sí lo haga. En cambio, Dios tiene siempre una respuesta a nuestras oraciones que beneficia nuestras vidas de alguna manera. No cree en un Dios enojado que nos rechaza completamente cuando pecamos, sino que cree en un Dios que perdona a quien honestamente trata de evitar el pecado. No cree en un Dios que mata intencionalmente a bebés o papás, o que desea el mal a los que rechazan su amor. Dios permite la muerte en momentos inesperados, pero Dios no causa la muerte intencionalmente. El conferencista dijo que Jesús vino a darnos la verdadera imagen de Dios, la del Dios que nos ama y está dispuesto a sufrir y morir para traer la salvación. Dijo al final de la conferencia que la verdadera imagen de Dios es aquella en la que Jesús le enseñó a creer.

✠ *¿Qué puedo aprender de este pasaje?*

Preguntas de reflexión

1. ¿Por qué el Señor endurece los corazones de los pueblos para que no dejen pasar a los israelitas por su tierra?

2. ¿Por qué es importante que las naciones vean que el Dios de los israelitas los guía en la conquista de pueblos más poderosos?

3. El Señor permite a algunas de las tribus como Rubén, Gad y Manasés que se establezcan fuera de la Tierra Prometida, ¿por qué?

4. ¿Cuáles eran las diferencias entre el Dios de Israel y los otros dioses adorados en la época de Moisés?

5. Dado que Dios no permitió a los israelitas hacerse una imagen del Dios verdadero, ¿por qué crees que podemos representar imágenes de Dios en nuestras pinturas y esculturas?

El gran mandamiento

DEUTERONOMIO 4:44-11:32

Escucha, Israel: Yahvé nuestro Dios es el único Yahvé. Amarás a Yahvé tu Dios con todo tu corazón, con toda tu alma y con todas tus fuerzas. Queden en tu corazón estas palabras que yo te dicto hoy (Dt 6:4-6).

Oración inicial (ver página 14)

Contexto

Parte 1: Deuteronomio 4:44-6:25. Moisés añade algunos detalles a los tres primeros mandamientos concernientes a la relación con el Señor y señala que obedecer el mandamiento de honrar al padre y a la madre traerá al pueblo paz y prosperidad. Añade la lista restante de mandamientos sin ningún comentario. El pueblo pide a Moisés que permanezca como su mediador ante Dios. Entonces Moisés les da el gran mandamiento del Señor, ordenándoles amar al Señor con todo el corazón, con toda su fuerza y con todo su ser. Les advierte que no sigan a los falsos dioses de las ciudades que van a conquistar y les reitera que la victoria depende de su fidelidad al Señor.

    Parte 2: Deuteronomio 7:1-11:32. Moisés explica cómo se tienen que comportar los israelitas en la batalla. Deberán destruir completamente al enemigo, pero no podrán casarse con las mujeres de las tierras conquistadas; su conquista viene del Señor de los israelitas. A pesar de que deben destruir totalmente al enemigo, podrán tomar el botín de guerra. Moisés habla de cómo los israelitas debían conducirse en batalla. Moisés recuerda al pueblo cómo el

Señor les dio dones invisibles en el desierto, cuando sus ropas no se desgastaron y sus pies no se hincharon. Le recuerda a la gente la forma en que pecaron en el desierto en la adoración del becerro de oro, sus murmuraciones por la falta de agua y su negativa a luchar cuando el Señor se lo ordenó. Aarón muere y el papel de los levitas en el pueblo es explicado en parte. Moisés exhorta al pueblo a circuncidar su corazón y no solo sus cuerpos.

PARTE 1: ESTUDIO EN GRUPO (DT 4:4-6:25)

Lee en voz alta Deuteronomio 4:4-6:25

Explicación de los Mandamientos (Dt 4:44-5:30)

Después de presentar brevemente la escena en 4:44-49 (cf. 1:1-5), el segundo sermón comienza donde terminó el primero. Se trata esencialmente de una exposición de los "estatutos", "decretos" y "ordenanzas" (5:1), que ya se han mencionado en 4:1.5.40. Estas palabras tienen un marcado significado legal, es decir, se trata de decretos para poner la ley en práctica. Moisés se refiere de nuevo a la experiencia en el Sinaí, donde Dios habló cara a cara con el pueblo, como una ocasión aterradora (cf. 4:10). De este modo, el capítulo 5 se une con lo que lo preceden y también anticipa lo que va a venir en los capítulos 5-28 (cf. referencias a los "estatutos y leyes" y a la alianza hecha en Horeb).

Sin embargo, esta sección no solo sirve de puente entre 1-4 y 6-28, sino que también contiene dos puntos importantes:

1. La alianza del Sinaí es vinculante para la nueva generación, que se encuentra en las llanuras de Moab. Aunque prácticamente todos los que salieron de Egipto han muerto, el Deuteronomio presenta a sus oyentes como su hubieran estado en el Sinaí: "No con nuestros padres concluyó Yahvé esta alianza, sino con nosotros, con nosotros que estamos hoy aquí, todos vivos. Cara a cara les habló Yahvé en la montaña, de en medio del fuego" (5:3-4).
1. Moisés es el mediador reconocido de las leyes. Él narra la historia de los Diez Mandamientos y los repite para dejar claro que fue el pueblo quien le pidió que se acercara a Dios y les transmitiera sus palabras porque tenían miedo de hacerlo ellos mismos (cf. 5:24-27). Y Dios aprobó esto comentando "¡Ojalá fuera siempre así su corazón de modo que me temieran y guardaran todos mis mandamientos, y de esta forma serían eternamente felices, ellos y sus hijos!" (5:29). Todo esto subraya la importancia de obedecer siempre la Ley con exactitud.

El mandamiento más importante (Dt 6:1-9)

Moisés repite las palabras del Señor de que los que guarden las leyes de la Alianza tendrán una vida larga y próspera. Insta a su audiencia a prestar atención a sus palabras, y señala que el Dios de sus antepasados les ha prometido una tierra que mana leche y miel, es decir, una tierra donde van a prosperar.

El tema central del libro del Deuteronomio se enfatiza en la ley que Moisés da a continuación. El mensaje para Israel es que el Señor es el Dios de Israel y es el único Dios. En un mundo en el que se adoraban muchos dioses, los israelitas son un pueblo llamado a adorar al único Dios verdadero. Debido a que Dios es el único Dios, Moisés pide al pueblo "amar al Señor, tu Dios, con todo tu corazón, con todo tu ser y con toda tu fuerza". La importancia de este mandamiento es enfatizado cuando Moisés manda al pueblo tomar estas palabras en serio y seguir repitiéndolas a sus hijos. Estas palabras deben entrar en la vida de las personas, que deberán recitarlas en casa o fuera de ella, acostados o levantados. Deberán atarlas en sus brazos como señal y como insignia en la frente. Después del exilio, muchos judíos tomaron estas palabras literalmente y se ataban cajitas que contenían pergaminos en los que estaban escritas estas palabras. Estas cajas eran conocidas como filacterias (griego = "amuleto") y *tefilin* (hebreo = "plegarias"). Moisés exhorta al pueblo a escribir estas palabras en los dinteles de sus puertas. Las palabras eran tan importantes para Moisés, que invitó al pueblo a pensar en ellas durante todo el día.

Fidelidad en la prosperidad (Dt 6:10-25)

Moisés advierte al pueblo que no se olvide del Señor, cuando él guie a la tierra prometida a sus antepasados. Capturarán grandes ciudades que no construyeron y descubrirán una gran cantidad de bienes, tales como frutas y aceitunas, regalos que no trabajaban para producir. Deberán amar y servir al Señor, su Dios, no jurando nunca en el nombre del Señor. Les vuelve a advertir acerca de la adoración a otros dioses, para que Dios no se enoje con ellos y los elimine de la tierra.

Moisés les dice que no pondrán al Señor a prueba como lo hicieron en Masá, donde se enfureció al Señor por sus murmuraciones contra Él por su avidez de agua (Cf. Éx 17:1-7). Moisés les llama a confiar en Dios. Su victoria en la Tierra Prometida dependerá de su fidelidad a la alianza. Moisés presenta una especie de lección de catecismo para que la usen con sus hijos. Más tarde, cuando sus hijos les pregunten que significan las leyes y ordenanzas, deberán decirles que un tiempo habían sido esclavos de Faraón en Egipto y les describirán las maravillas que hizo el poder del Señor, sacándolos de Egipto y llevándolos a la tierra prometida a sus antepasados. Deberán transmitirles a sus hijos los mandamientos de la Alianza, que les traerán prosperidad y protección de Dios. Finalmente les dice que, a través de la observancia de los mandamientos de Dios, es como se convertirán en un pueblo justo y recto ante Dios.

Preguntas de reflexión

1. Los israelitas temían que Dios que les hablara. ¿Nos asustamos cuando Dios nos habla? ¿Por qué sí o por qué no?
2. ¿Por qué los cristianos pueden usar el nombre de Dios abiertamente en el culto, mientras que los israelitas podían utilizar el nombre de Yahvé solo una vez al año?
3. ¿Cómo respetamos la santidad del Sábado en nuestros días?
4. El gran mandamiento de Dios o la regla de oro puesta en relieve por Jesús se pueden encontrar en el libro de Deuteronomio. ¿Crees que esto es importante? ¿Por qué?
5. ¿Qué descubrió Moisés sobre la naturaleza humana cuando advirtió a la gente de que permanecieran fieles a la alianza en la Tierra Prometida? Explica.

Oración final (ver página 15)

Reza la oración final ahora o después de la *Lectio divina.*

Lectio divina (ver página 8)

Relájate y mantén una postura de oración (espalda recta, ojos cerrados, pies apoyados en el suelo). Este ejercicio puede durar cuanto gustes, pero en el contexto de este estudio bíblico, de 10 a 20 minutos deberían ser suficientes.

Las meditaciones que siguen se ofrecen para ayudar a los participantes a usar esta forma de oración, pero hay que considerar que la *Lectio* está pensada para conducirlos a un ambiente de contemplación orante, donde la Palabra de Dios habla al corazón de quien la escucha (ve la página 8 para más instrucciones).

Explicación de los mandamientos (Dt 4:44-5:30)

Durante su tiempo en el desierto, los israelitas formaban una comunidad bajo el único Dios verdadero. Mientras vivían en Egipto, tenían poco tiempo para convivir los unos con los otros. Ahora, en el desierto, necesitaban reglas que les ayudaran a relacionarse con Dios y entre ellos mismos como una comunidad de hijos de Dios. Para ayudarles a formar esa comunidad, Dios les dio los Mandamientos, orientaciones sobre cómo relacionarse con Dios y con los demás.

Los Mandamientos aún se aplican a nosotros hoy. En el Evangelio de Mateo (19:16-22), un hombre viene a Jesús y le pregunta qué debe hacer para obtener la vida eterna. Jesús le dice que guarde los Mandamientos y el hombre responde que él ya los observa todos. De acuerdo con lo que dice Jesús, el hombre va a alcanzar la vida eterna guardando los mandamientos, pero Jesús va todavía más allá e invita al hombre, no solo a guardar los mandamientos, sino a dedicarle toda su vida. Dice al hombre que si quiere ser perfecto, entonces debe vender todo lo que tiene, darlo a los pobres y seguirlo. Este es un sacrificio demasiado grande para el hombre y él se va triste, ya que tenía muchas posesiones.

Guardar los mandamientos permite a una persona alcanzar la vida eterna; pero vivir una vida de perfección exige más que los Mandamientos, exige una vida de donación y de compartir los dones que Dios nos ha dado. La vida de comunidad no crece simplemente evitando el mal; también debemos preguntarnos en qué podemos contribuir al bienestar de nuestros hermanos y hermanas en Cristo, para ayudar a la comunidad a crecer en el amor a Dios y al prójimo.

✠ *¿Qué puedo aprender de este pasaje?*

Moisés como mediador (Dt 5:22-33)

El pueblo de Israel temía que moriría si oía una vez más la voz del Señor. Su miedo les llevó a pedir a Moisés que fuera el mediador entre ellos y Dios. Moisés transmitía la palabra de Dios al pueblo. En el Nuevo Testamento, Jesús, que es Dios, se convierte en nuestro mediador para transmitirnos la Palabra de Dios. En la Primera carta a Timoteo leemos: "Porque hay un solo Dios, y también un solo mediador entre Dios y los hombres, Cristo Jesús, hombre también" (2:5-6). Moisés oyó al Señor que le hablaba y llevó el mensaje de Dios a la gente. Jesús, el mediador, es Dios. Aunque Dios no es ni hombre ni mujer, Jesús, siguiendo la costumbre de su época, se refiere a la primera persona de la Trinidad como "Padre". Dice: "El Padre y yo somos uno" (Jn 10:30). A pesar de que es Dios, Jesús se hizo hombre para traer a la Palabra de Dios al mundo. Jesús, como nuestro mediador, trae la Palabra de amor de Dios a nosotros directamente de Aquel que nos ama infinitamente.

✠ *¿Qué puedo aprender de este pasaje?*

El mandamiento más importante (Dt 6:1-9)

En el Evangelio de Mateo, leemos que uno de los fariseos pregunta a Jesús cuál es el mandamiento más importante. Nadie se sorprendió cuando Jesús citó el Deuteronomio, diciendo "amar al Señor, tu Dios, con todo tu corazón, con todo tu ser y con toda tu fuerza". Después de decir que este era el primero y el más grande, añade que el segundo es semejante a él y cita el libro de Levítico (19:18), diciendo que se debe amar al prójimo como a uno mismo. Resumió diciendo: "De estos dos mandamientos cuelgan toda la Ley y los Profetas" (Mt 22:40). Moisés dice al pueblo que deben tomar las palabras Dios en serio y seguir repitiéndoselas a sus hijos. Estas palabras son el mensaje central del libro del Deuteronomio y de los Evangelios.

✠ *¿Qué puedo aprender de este pasaje?*

Fidelidad en la prosperidad (Dt 6:10-25)

Un hombre oró intensamente por su esposa, que se estaba sometiendo a una operación de emergencia para salvarle la vida. Mientras ella estaba en coma, él pasó día y noche rezando para que sobreviviera. Después de que ella se recuperó y fue declarada sana, el hombre volvió a caer en sus viejos hábitos de saltarse la Eucaristía dominical y rezar solo de vez en cuando. La urgencia había terminado. Moisés entiende la naturaleza humana y advierte al pueblo que no debe caer en la autocomplacencia después de su llegada a la Tierra Prometida. Teme que el pueblo ponga a prueba la bondad del Señor al ignorar sus estatutos y volviendo a la adoración de falsos dioses. En el Evangelio de Mateo, Jesús responde a una tentación del diablo citando el libro del Deuteronomio: "No tentarás al Señor tu Dios" (Mt 4:7). La complacencia puede conducir a ignorar al Señor, como Moisés temía.

✠ *¿Qué puedo aprender de este pasaje?*

PARTE 2: ESTUDIO INDIVIDUAL (DT 7-11)

Día 1: Comportamiento en guerra (Dt 7)

En el 621 a.C., durante el reinado del rey Josías en Judea, cuando se encontraron partes del libro de Deuteronomio, había muchos altares al Dios verdadero en Palestina, pero también altares a los falsos dioses. Las partes del libro del Deuteronomio presentes en el siguiente pasaje y que fueron encontradas durante la época de Josías, suministrarían una justificación para la reforma que este quería realizar. Él quería, ciertamente, el apoyo del Señor, la prosperidad de quienes guardaron la Alianza. El rey Josías decretó que todos los altares fueran destruidos y que hubiera un solo santuario en Jerusalén.

Moisés dice a sus seguidores que destruyan totalmente a las naciones a las que se enfrenten en batalla. Serán capaces de derrotar a naciones con ejércitos más poderosos que el suyo, debido a que ellas no tienen al Señor de su lado como los israelitas. Tienen que llevar a cabo estas batallas como una guerra santa. Para evitar la ira de Dios, deben seguir el decreto del Señor y no permitir los matrimonios mixtos con miembros de aquellos pueblos a los que conquisten, ya que eso podría conducirlos fácilmente a adorar a falsos dioses. Deberán destruir sus altares, sus pilares y bosques sagrados, y todos sus ídolos. Dado que están destinados a ser un pueblo santo, un pueblo especialmente elegido por el Señor de entre todos los pueblos del mundo, no deben caer presa de los falsos dioses. Sus conquistas vienen de Dios, que los ama y que permanece fiel a la Alianza. Moisés exhorta a los israelitas a tener en cuenta que Dios es fiel a la Alianza hasta la milésima generación, que es una forma semítica de decir "para siempre". El Señor protege a los que lo aman, pero su ira no vacila en tomar represalias contra los que lo odian.

Moisés repite con más detalle que el Señor bendecirá a los que permanecen fieles a la Alianza. El Señor los amará, bendecirá sus campos, su ganado, sus viñedos y sus vientres. Se les dice que destruyan, con la ayuda del Señor, los pueblos que el Señor ponga en sus manos, sin sentir compasión por ellos y no temiendo ellos a causa de su número. Para mantener su valor, han de tener en cuenta todo lo que el Señor hizo con el faraón y el poderoso ejército egipcio. El Señor usará la naturaleza para dominar a algunos de ellos. Hay una nota práctica aquí al decirles Moisés que el Señor va a eliminar estas naciones poco a poco, una referencia a la destrucción gradual de estos pueblos en un esfuerzo por explicar por qué los israelitas no serán capaces de expulsar a todas las naciones rápidamente.

Moisés advierte a los israelitas de las posibles tentaciones que van encontrar. Deberán destruir pueblos, naciones y reyes, y deberán destruir también a sus dioses. No deben codiciar su oro o plata, o ellos mismos serán puestos bajo condena de exterminio, es decir, también morirán.

Todas estas expresiones violentas contra los pueblos paganos tratan de poner de relieve el gran peligro de la idolatría y cuán importante es evitar las ocasiones de caer en la misma.

Lectio divina

Dedica de 8 a 10 minutos a la contemplación silenciosa del siguiente pasaje:
Dios es un Dios de paciencia. En el Evangelio de Marcos, leemos acerca
de un hombre que planta una semilla. Duerme y se levanta; noche tras
noche y día tras día, la semilla brota y crece gradualmente. Jesús dice
que el hombre no sabe cómo crece; simplemente crece (cf. Mc 4:26-29.)
Tenemos esta expresión que dice que algo sucederá "cuando Dios quiera".
Dios prometió a los israelitas que iban a poseer la tierra. Los israelitas
no entraron en la Tierra Prometida y tomaron control inmediatamente
de todo el territorio. Tomaron posesión de la misma después de un largo
período de tiempo. El lento crecimiento de Israel desafiaría la paciencia
del pueblo y los pondría en tentación de abandonar el pacto, pero Moisés
les insta a permanecer fieles. En nuestra vida, sabemos que Dios obra
en nosotros, pero debemos aceptar que Dios tiene paciencia y nuestras
oraciones pueden ser respondidas de una manera que no esperamos.
"Cuando Dios quiera".

✠ *¿Qué puedo aprender de este pasaje?*

Día 2: Los dones de Dios en el desierto (Dt 8)

Moisés recuerda a los israelitas cómo Dios permitió que experimentaran
hambre antes de alimentarlos con el maná. El maná era un don de Dios, un
don natural que algunos de sus antepasados que vivieron en los alrededores
del desierto, nunca encontraron. Tenían que aprender de la ofrenda milagrosa
del maná que no solo se vive de pan, sino de todo lo que sale de la boca de Dios.
Después Moisés enumera algunas de los regalos invisibles que el Señor les ha
dado en el desierto. Sus vestidos no se cayeron a pedazos, ni tampoco sus pies
se hincharon por el largo viaje. El motivo para que lucharan contra el hambre
fue para fortalecer la fe del pueblo. Así como un hombre disciplina a su hijo, así
Dios los disciplina a ellos también. Al ver todo lo que Dios ha hecho por ellos y
confiando en él, vivirán según su voluntad, amándolo y temiéndolo.

Enseguida Moisés describe las bendiciones de la tierra que están a punto
de recibir como herencia. Habla de una tierra con agua, un bien muy preciado
para personas que pasaron muchos años en el desierto del Sinaí; una tierra de
abundantes cosechas de cereales y fruta; una tierra donde se puede encontrar
y extraer hierro. La mención de estas bendiciones muestra que el libro de

Deuteronomio es el producto de un pueblo que ya está familiarizado con la Tierra Prometida y que no están simplemente hablando del futuro, sino que está ya familiarizado con las bendiciones de la tierra en el momento de la redacción. El problema con esta prosperidad es que puede hacer que se vuelvan tan orgullosos que se olviden del Señor, como si ellos hubieran ganado todas estas cosas buenas por su cuenta, sin ninguna ayuda del Señor. Han de recordar que el Señor los condujo a través de todos los peligros del desierto y les hizo prosperar. Su prosperidad es un regalo del Señor, así como su seguridad en el desierto fue un regalo. Por parte de Dios, la alianza se ha cumplido y el pueblo debe ahora evitar adorar a dioses falsos. Si ellos adoran a dioses falsos, serán destruidos como las naciones que ellos mismos destruyeron.

Lectio divina

Dedica de 8 a 10 minutos a la contemplación silenciosa del siguiente pasaje:

En el Evangelio de Mateo, el diablo tienta a Jesús al final de su ayuno de cuarenta días en el desierto para que cambie las piedras en pan. Jesús cita el libro del Deuteronomio respondiendo: "no solo de pan vive el hombre, sino que el hombre vive de todo lo que sale de la boca de Yahvé" (Mt 4:4, Dt 8:3). Moisés teme que la gente se olvide de Dios una vez que este se haya ocupado de sus necesidades materiales. Tanto Jesús como Moisés advierten contra el abandono de Dios por los bienes materiales. Para ellos, la vida es más que comer y beber. La vida consiste en ser fiel a los propios compromisos con el Señor. Comida y bebida son importantes, pero permanecer fieles es más importante. Dios proporciona la comida y la bebida, de forma que uno pueda vivir fielmente de acuerdo con los mandamientos del Señor. Para Jesús y Moisés, la salud nos es dada para el bien común y para la adoración de Dios.

✠ *¿Qué puedo aprender de este pasaje?*

Día 3: Un pueblo de dura cerviz (Dt 9)

Moisés le dice al pueblo que no tema el poder aparente de los hijos de Anac. El Señor irá delante de los israelitas como un fuego abrasador y destruirá y someterá a sus enemigos de forma que los israelitas serán capaces de despojarlos de todo lo que tienen y eliminarlos. Después de esto, ellos no deben volverse arrogantes y decir que fue a causa de su justicia delante de Dios que el Señor actuó de esta manera. La verdadera razón por la que el Señor actuó así, a pesar de su maldad, fue el juramento que Dios hizo a Abrahán, Isaac y Jacob. Moisés le dice al pueblo sin rodeos que no es a causa de su justicia que Dios destruyó estas naciones ante ellos, ya que Dios es muy consciente de que son "un pueblo de dura cerviz".

Moisés recuerda a los israelitas su pecado contra Dios en el desierto. No habían aún terminado de aceptar la alianza en Horeb y prometido obedecer a Dios, que ya estaban pecando contra el primer mandamiento construyendo un becerro de oro y adorándolo. Moisés cuenta cómo él se quedó con el Señor cuarenta días y cuarenta noches, y cómo el Señor le dio dos tablas de piedra escritas por el dedo mismo de Dios. Al final de ese período, Moisés describe cómo el Señor se enojó con el pueblo y quiso destruirlo. En lugar de este pueblo de dura cerviz, Dios proporcionaría entonces a Moisés una nación mucho mejor que la que estaba guiando.

Cuando Moisés bajó de la montaña y vio el becerro de oro, se enojó y en su furia, tomó las dos tablas y las rompió a la vista de la gente. En la historia del becerro de oro en el libro del Éxodo, Moisés intercede por el pueblo. En este libro, su intercesión se hace más dramática. Moisés dice que él se postró ante el Señor durante cuarenta días y cuarenta noches sin comer ni beber. Temía lo que el Señor iba a hacer con ellos. El Señor, sin embargo, aceptó la oración de Moisés y cedió. Moisés también tuvo que interceder por Aarón, al cual el Señor amenazó de muerte porque construyó el becerro de oro. Moisés quemó el becerro de oro y lo molió hasta reducirlo a polvo y lo tiró en el agua que bajaba por la montaña (cf. Éxodo 32). Algunos comentaristas creen que el becerro de oro estaba destinado a ser una imagen del Dios de Israel, al igual que otras naciones hicieron las imágenes de sus dioses. Sin embargo, estaba prohibido hacer cualquier tipo de imagen de Dios.

Moisés recuerda al pueblo su pecado en Masá, cuando se quejaron por la falta de agua y en Kibrot-hataava, donde murmuraron por la carne. En ambos casos, enfurecieron al Señor. Ellos provocaron la ira del Señor, cuando él les dijo que fueran a luchar contra los pueblos que habitaban en la Tierra Prometida, pero ellos se negaron porque pensaban que el enemigo era demasiado poderoso y estaba bien fortificado como para poder enfrentarlo. De este modo, Moisés está demostrando que han sido rebeldes desde que salieron de Egipto. Moisés intercedió por el pueblo durante cuarenta días y cuarenta noches, señalando al

Señor que los otros pueblos dirían que el Señor fue capaz de sacarlos de Egipto, pero no fue capaz de llevarlos a la tierra que fue prometida a sus antepasados. Esto haría que el Señor de los israelitas pareciera más débil que los dioses de los enemigos.

Lectio divina

Dedica de 8 a 10 minutos en la contemplación silenciosa del siguiente pasaje:

Los israelitas, que eran el pueblo santo de Dios, a menudo pecaron, pero fue la fe y la santidad de Moisés la que los llevó a través de estos períodos pecaminosos de la jornada. En 1964, los obispos del mundo redactaron un documento del Concilio Vaticano II que declaró que la Iglesia es santa, pero que también abraza en su seno a los pecadores (véase la constitución dogmática sobre la Iglesia *Lumen Gentium*, 8c). La Iglesia podría mirar hacia atrás a través de su historia y darse cuenta de que muchos de los que pertenecieron a la familia de la Iglesia Católica eran pecadores. La Iglesia nunca los rechazó, sino que esperó su conversión. La Iglesia, sin embargo, guiada por el Espíritu Santo, podría mirar también a la vida de un gran número de personas santas que probaban que la Iglesia era en verdad una Iglesia santa. Al igual que Moisés, que tuvo que interceder a menudo por los israelitas pecadores, los hombres y mujeres santos han llevado a la Iglesia a través de algunos momentos difíciles de su historia. El mismo Jesús se mezclaba con los pecadores, declarando: "no he venido a llamar a justos, sino a pecadores" (Mc 2:17). Moisés pudo haber recibido del Señor un pueblo más fiel, pero en lugar de eso, eligió conducir a un pueblo "de dura cerviz", que a menudo murmuró contra Dios. La santidad y dedicación de Moisés hicieron de los hijos de Israel un pueblo santo, fiel al Señor. Los hombres y mujeres santos en la Iglesia a lo largo de la historia muestran que la Iglesia es un pueblo santo, dedicado al Señor. Estamos llamados a unirnos a ellos.

✠ *¿Qué puedo aprender de este pasaje?*

Día 4: El Espíritu de la Alianza (Dt 10)

Moisés describe la construcción del Arca de la Alianza y la colocación de las tablas dentro de la misma. Había que reponer las que le había dado el Señor y que él había roto. El Señor ordenó a Moisés que trajera dos tablas de piedra como las primeras y prometió escribir las "diez palabras", que es una referencia a los Diez Mandamientos, en ellas. Después que el Señor escribió en las tablas, Moisés las bajó de la montaña y las puso en el Arca que él mismo había hecho con madera de acacia.

Moisés describe la continuación del viaje por el desierto. Durante el viaje, Aarón muere y es reemplazado por su hijo, Eleazar. Los levitas fueron separados del resto de las tribus para que se encargaran del santuario. Tuvieron el privilegio de estar ante el Señor para servirle en los lugares sagrados y bendecir en el nombre del Señor. No tendrían parte en la división de la tierra, porque debían vivir entre las tribus para servir en el culto y el sacrificio, y para preparar el santuario. Moisés pasó cuarenta días y cuarenta noches en la montaña, y el Señor escuchó de nuevo su oración y lo envió para guiar al pueblo de forma que pudieran entrar en la Tierra Prometida a sus antepasados.

Moisés vuelve su atención a la manera en que el pueblo de la Alianza debe vivir. El Señor Dios les pide actuar con un temor reverencial, seguir sus caminos, amarlo y servirlo con todo su corazón y todo su ser, y seguir siendo fieles a los mandamientos y estatutos del Señor. Aunque toda la creación pertenece a Dios, el Señor escogió solo a sus antepasados a quienes él amaba. Moisés dice al pueblo que Dios los eligió porque eran los descendientes de los que recibieron la promesa de la tierra. Dios les ordena circuncidar el prepucio de su corazón y no ser un pueblo de dura cerviz. La circuncisión era una señal de dedicación al Señor, pero la circuncisión física sin un compromiso espiritual lleno de amor no significa nada. El profeta Jeremías habla del mismo tipo de compromiso con el Señor cuando escribe: "Circuncídense para Yahvé, extirpen los prepucios de sus corazones" (4:4).

En una tierra donde los pueblos creen en muchos dioses, Moisés declara que el Señor, el Dios de los israelitas, es el Dios de dioses y Señor de señores, el gran Dios. Muchas de las personas que huyeron de Egipto y siguieron a Moisés sabían muy poco sobre el Dios de los israelitas y todavía creían en muchos dioses diferentes. Moisés tuvo que conducirlos a la fe en el único Dios verdadero. Esto sucedería durante la jornada de cuarenta años por el desierto, cuando el pueblo tenía poco contacto con los pueblos y ciudades de los dioses paganos.

Moisés le dice al pueblo que debe amar al extranjero residente, ya que eso es lo que fueron ellos en la tierra de Egipto. Esta directiva parece aplicarse a la época en que se escribió este libro, cuando los judíos habían ya vivido en la Tierra Prometida por un período de tiempo y habían establecido una vida más sedentaria entre los extranjeros. Moisés anima al pueblo a permanecer fiel amando y sirviendo al Señor Dios que ha realizado hazañas milagrosas para ellos. Le recuerda a la gente que setenta miembros de la familia de Jacob vinieron a Egipto (Gn 46:27) y ahora son tan numerosos como las estrellas.

Lectio divina

Dedica de 8 a 10 minutos a la contemplación silenciosa del siguiente pasaje:

El plan de Dios es un misterio. ¿Por qué Dios eligió a la nación de Israel como pueblo santo por encima de todas las demás naciones de la tierra? Leemos que Dios protegió al pueblo israelita por sus antepasados, Abrahán, Isaac y Jacob. Otras naciones pueden haber tenido hombres y mujeres santos en medio de ellos, pero Dios eligió a la familia de Abrahán. La señal de su pacto con Dios es la circuncisión, pero Moisés les advierte que lo que deben circuncidar es su corazón, es decir, no solo hacer de esto una señal física de su dedicación a Dios, sino también vivir como un pueblo dedicado al Señor.

Más adelante, cuando algunas personas de Judea desafiaron a Jesús, diciendo que tenían a Abrahán como su padre, Jesús, reconociendo su pecaminosidad, respondió: "Si son hijos de Abrahán, hagan las obras de Abrahán" (Jn 8:39). Él está diciendo que son descendientes físicos de Abrahán, pero no espirituales; no están siguiendo el espíritu de Abrahán. La Iglesia pide a los cristianos en el momento de su Bautismo que no solo digan: "Yo voy a ser bautizado", sino a demostrarlo con su estilo de vida. Jesús podría estar diciéndonos, "si son hijos de Dios, deberían hacer las obras de Dios".

✠   ¿Qué puedo aprender de este pasaje?

Día 5: Bendiciones y castigo (Dt 11)

Moisés sigue recordando cómo el Señor trató con el pueblo elegido. Deben amar al Señor y guardar sus estatutos, ordenanzas y mandamientos. Moisés le recuerda al pueblo que sus hijos no vieron el esplendor del Señor o el castigo de aquellos que desobedecieron. Ver el esplendor del Señor parece ser una referencia al momento en que Moisés recibió los Mandamientos y el pueblo fue castigado por adorar al becerro de oro. Pero sus hijos aún no habían nacido.

Como un ejemplo del poder del Señor, Moisés señala la forma en que el Dios primero destruyó a los egipcios y más tarde destruyó a dos de los hijos de Israel, de nombre Datán y Abiram, que se rebelaron contra el Señor. La tierra se abrió y se los tragó (cf. Nm 16:25-34). El Señor seguirá tratando bien a las personas que permanezcan fieles a la Alianza y amen al Señor con todo su corazón y todo su ser. La tierra en la que están entrando no es tan árida como Egipto, donde tenían que recoger el agua para las semillas que plantaban; el Señor hará llover sobre la Tierra Prometida mientras se mantengan fieles a la Alianza; esta es una tierra de montañas y valles. Moisés sigue advirtiendo que no se dejen arrastrar lejos de la Alianza y, de esa manera, pierdan la bendición de la lluvia y las cosechas abundantes. Si abandonan la Ley, la tierra prometida a sus antepasados se convertirá en una tierra de muerte para ellos.

Moisés vuelve a instar a sus oyentes a tomar en serio las palabras de la Alianza, atándolas a su corazón y su cabeza como señal para los demás. Esto repite una directiva anterior de Moisés que dio lugar a una práctica posterior de los líderes religiosos: llevar filacterias en la cabeza y alargar los flecos de su manto como signo de santidad. El significado es que deben esforzarse por entender y vivir los mandamientos de la Alianza. Moisés ordena que enseñen la Ley a sus hijos para que puedan vivir fielmente en la tierra que el Señor prometió a sus antepasados. Permaneciendo fieles a la Alianza, serán capaces de derrotar a todos los pueblos, incluso a los más poderosos que ellos. La bendición del Señor va con ellos para que puedan tener éxito donde sea que estén. Moisés afirma que su mensaje es una bendición para aquellos que obedecen al Señor y una maldición para aquellos que se vuelven hacia otros dioses.

Lectio divina

Dedica de 8 a 10 minutos a la contemplación silenciosa del siguiente pasaje:

Moisés debe recordar continuamente a la gente su necesidad de ser fiel a la alianza. No solo deben "parecer" fieles, sino que tienen que *ser* fieles en sus propios corazones. Si no son espiritualmente fieles, entonces la bendición de la Alianza puede convertirse en una maldición para ellos.

Jesús se da cuenta de que las acciones exteriores de una persona no siempre revelan lo que hay en su corazón. Así, advierte a la gente acerca de la hipocresía de los escribas y fariseos, declarando: "Todas sus obras las hacen para ser vistos por los hombres; ensanchan las filacterias y alargan las orlas del manto" (Mt 23:5). En cuanto a los escribas y fariseos, dice de forma más directa: "¡Ay de ustedes, escribas y fariseos hipócritas!" (23:13). Conocen y creen en la Alianza, pero no permiten que influya en su vida espiritual.

Los cristianos tenemos el privilegio de saber que Jesús es Dios, así como de conocer la ley del amor dada por Cristo. Así como los seguidores de Moisés tuvieron conocimiento del pacto que podría ser una bendición o una maldición, dependiendo de cómo respondieran al mismo, de la misma manera los cristianos podemos experimentar una bendición o una maldición, dependiendo de nuestra aceptación o rechazo de la ley del amor dada por Cristo.

✠ *¿Qué puedo aprender de este pasaje?*

Preguntas de reflexión

1. ¿Qué temor expresa el Señor en relación con la conquista de tierras extranjeras?
2. ¿Cuáles son algunos regalos invisibles que Dios dio a los israelitas en el desierto; y a nosotros?
3. ¿Qué es lo que hace de los israelitas personas tan obstinadas? Explica.
4. ¿Qué estaba mal con la adoración del becerro de oro, considerando que, al parecer, estaba destinado a ser una imagen del verdadero Dios? Discute.
5. ¿Por qué es importante para Israel el papel de los levitas?

El código deuteronomístico

DEUTERONOMIO 12:1-34:12

No ha vuelto a surgir en Israel un profeta como Moisés, a quien Yahvé trataba cara a cara; nadie como él en todas las señales y prodigios que Yahvé le envió a realizar en el país de Egipto, contra el faraón, y contra todos sus siervos y contra todo su país, y en la mano tan fuerte y el gran terror que Moisés puso por obra a los ojos de todo Israel (Dt 34:10-12).

Oración inicial (ver página 14)

Contexto

Parte 1: Deuteronomio 12:1-28:69. En esta lección, la sesión de estudio incluirá solo los capítulos 12 y 13, aunque en el comentario se ofrecerá un resumen de los contenidos de los capítulos 14 a 28. En la sesión de estudio veremos cómo Moisés ordena que haya un solo santuario en la Tierra Prometida. Los levitas son elegidos para ofrecer el sacrificio en nombre del pueblo y para el cuidado del santuario. Moisés manda que todos los otros altares sean destruidos. Advierte una vez más que no deben adorar a los dioses de los pueblos conquistados. Cualquier adivino que los lleve por mal camino debe morir. En los capítulos 14 a 28, Moisés aborda en detalle el modo de vida que deben tener los hijos de Israel para vivir fielmente la Alianza.

Parte 2: Deuteronomio 29:1-34:12. Moisés ofrece su tercer discurso al pueblo. Recuerda la salida de Egipto y cómo Dios los protegió en el camino y como fueron capaces de vencer ejércitos más poderosos que ellos. Moisés habla de la fidelidad a la Alianza, no solo para la generación presente, sino para las generaciones futuras. Continúa advirtiendo de las consecuencias nefastas que les esperan a los que adoran falsos dioses. También habla de que serán dispersados y que regresarán del exilio con fe en el Dios de Israel, porque enseña que el Señor está más cerca de ellos que sus propios corazones. Ellos crecerán y prosperarán en la tierra que Dios les prometió. Cuando Moisés menciona de nuevo que no va a entrar en la Tierra Prometida, elige a Josué como el nuevo líder de Israel. Moisés escribe la Ley y la confía a los levitas para su custodia, junto con el Arca de la Alianza. Moisés pronuncia dos poemas que recuerdan el pasado y las bendiciones de Dios para el futuro. Moisés muere a la vista de la Tierra Prometida.

PARTE 1: ESTUDIO EN GRUPO

Lee en voz alta Deuteronomio 12:1-28:69

Un solo templo (Dt 12:1-14)

El Código deuteronomístico presente en los capítulos 12 a 28 es semejante a la Ley que se encuentra en Éxodo 20-23. Los capítulos 12-13, tratados en este comentario, ofrecen al lector una muestra de las leyes que siguen en 14-28. Después de familiarizarse con la dirección que el Código del Deuteronomio toma, el lector puede optar por explorar o saltar los capítulos 14-28. El comentario y la reflexión continuarán con el capítulo 29.

Deuteronomio 12:1 nos dice que estos son los estatutos y ordenanzas que el pueblo debe observar diligentemente en la tierra prometida a sus ancestros por Dios. Los primeros versículos tienen que ver con el establecimiento de un único santuario. Cuando entren a la Tierra Prometida, deberán destruir todos los altares de los habitantes y se reunirán para la adoración y el sacrificio como comunidad en un lugar designado para ello. Será un santuario único y específico. Más adelante, David designará a Jerusalén como la ciudad sagrada y al Templo como el santuario sagrado. Durante los siglos en que se escribió el Deuteronomio, Jerusalén siguió siendo el lugar central para el santuario o templo del Señor. Dado que Moisés no habría podido saber esto, los autores de esta porción de Deuteronomio no lo presentan mencionando el lugar específico. Como ya se ha dicho, el libro de Deuteronomio fue compuesto varios siglos después de que David eligiera a Jerusalén como el lugar central para el santuario.

Durante el viaje de los israelitas por el desierto, los levitas ofrecían sacrificios a Dios por el pueblo. Cuando entren en la Tierra Prometida, estas formas de sacrificios deberán cesar, aunque en muchas partes no sucedió así. Al ordenar la destrucción de todos los altares de la tierra, Moisés parece incluir los altares dedicados a YHWH junto con los altares paganos. El propósito puede haber sido el de inculcar en los hijos de Israel que Yahvé es uno y un único lugar de culto enseñaría este mensaje con más fuerza. En una ambiente en el que los israelitas encontrarían gente que adoraba a muchos dioses, el continuo énfasis en la adoración al único Dios todopoderoso de los hijos de Israel, era un mensaje importante para todo el pueblo.

El holocausto, los sacrificios y todas las demás ofrendas serán presentados cuando las familias israelitas visiten el santuario designado. En la presencia del Señor y de sus familias, han de comer y celebrar todos los eventos en los que experimentaron las bendiciones del Señor. Cuando el pueblo visitaba el lugar designado con sus ofrendas, lo más probable es que se reuniera y celebrara el resto del sacrificio de comunión con los amigos y miembros de la familia que vivía en la zona del santuario.

Preguntas de reflexión

1. ¿Por qué es importante que exista un único santuario en toda la Tierra Prometida?
2. Explica por qué amar al extranjero residente es tan importante para los israelitas.
3. ¿Cómo podemos aplicar el mensaje de Moisés de atar las leyes de la Alianza en nuestros corazones y nuestras cabezas como una señal para los demás? Explica.
4. ¿Por qué los israelitas pensarían en preguntar a la gente de las tierras conquistadas cómo adorar a sus dioses? Explica.

Oración final (ver página 15)

Haz la oración final ahora o después de la *Lectio divina*.

Lectio divina (ver página 8)

Relájate y mantén una postura de oración (espalda recta, ojos cerrados, pies apoyados en el suelo). Este ejercicio puede durar cuanto gustes, pero en el contexto de este estudio bíblico, de 10 a 20 minutos deberían ser suficientes.

Las meditaciones que siguen se ofrecen para ayudar a los participantes a usar esta forma de oración, pero hay que considerar que la *Lectio* está pensada para conducirlos a un ambiente de contemplación orante, donde la Palabra de Dios habla al corazón de quien la escucha (ve la página 8 para más instrucciones).

Un centro de la adoración (Dt 12:1-14)

En el libro de Deuteronomio, Moisés mandó al pueblo establecer un santuario central en la Tierra Prometida. Todos los autores del libro de Deuteronomio, que escribieron mucho después de que los israelitas se establecieron en la Tierra Prometida, vivieron en una época en que tenían un santuario central en el Templo de Jerusalén. En las fiestas mayores, muchos de los judíos hacían una peregrinación a la ciudad sagrada para dar culto en el Templo. El santuario central dio un sentido de unidad. En el Evangelio de Lucas (2:41), leemos que los padres de Jesús viajaban cada año a Jerusalén para la fiesta de la Pascua. En los Hechos de los Apóstoles (2:05), se dice que en la fiesta judía de Pentecostés, "había judíos devotos de todas las naciones presentes en Jerusalén". Hasta su destrucción en el año 70, Jerusalén y el Templo fueron el santuario central para los judíos.

Los católicos no tenemos un santuario central en algún rincón del mundo. Sin embargo, Jesús predijo esto cuando habló junto al pozo con la mujer samaritana, que creía que los verdaderos israelitas no adoran a Dios en Jerusalén, sino en la montaña donde Jacob rindió culto. Jesús dijo: "llega la hora en que, ni en este monte, ni en Jerusalén adorarán al Padre" (Jn 4:21). Los católicos rendimos culto a Dios en todas las partes del mundo cuando nos reunimos para celebrar la Eucaristía, una acción que hace del lugar de culto de la comunidad un área sagrada.

Para Moisés, María y José, y todos los cristianos, la unidad de fe es esencial para la comunidad que rinde culto.

✠ *¿Qué puedo aprender de este pasaje?*

Precisiones sobre los sacrificios (Dt 12:15-31)

Los israelitas reconocían que una porción de la grey y de la cosecha pertenecía al Señor, y una vez ofrecidos a él, eran sagrados. Los católicos creemos que el pan y el vino convertidos en el Cuerpo y la Sangre de Cristo en la Eucaristía son sagrados. Moisés recuerda al pueblo que puede comer la carne que no es ofrecida en sacrificio, siempre y cuando no coman su sangre. Los católicos podemos comer del pan y el vino que no están consagrados. En ambos casos, reconocemos que un don dado a Dios a Dios pertenece y debe ser honrado y compartido en la manera decidida por el Señor. La comida que no se ha ofrecido a Dios puede ser compartida para la supervivencia. La presencia de lo sagrado y lo profano nos recuerda que vivimos en un mundo en el que lo divino y los aspectos humanos de la vida son parte de la existencia diaria. Nuestra jornada es un viaje en el que tocamos constantemente lo humano y lo divino.

✠ *¿Qué puedo aprender de este pasaje?*

Las sanciones por llevar a otros a la idolatría (Dt 13)

Moisés se preocupa por los falsos profetas conocidos como soñadores y visionarios, que podían atraer a la gente y llevarla a adorar falsos dioses. La advertencia puede aplicarse fácilmente a muchas situaciones en nuestro mundo de hoy, donde vemos miembros de sectas seguir a un líder que los aleja de sus familias y de todas las relaciones. Muchas personas parecen estar buscando falsos mesías o profetas para escapar de las dificultades de la vida. Jesús nos puso en guardia contra aquellos que llevan a la gente por mal camino. Dice: "Porque surgirán falsos cristos y falsos profetas, que harán grandes señales y prodigios, capaces de engañar, si fuera posible, a los mismos elegidos" (Mt 24:24). Falsas esperanzas, promesas y sueños pueden tener un gran efecto en la vida de muchos cuya fe en Dios es débil. Moisés desearía quitar a todos aquellos que podrían conducir a los israelitas a adorar a dioses falsos, cualquiera que sea la forma que adopten.

✠ *¿Qué puedo aprender de este pasaje?*

PARTE 2: ESTUDIO INDIVIDUAL (DT 29-34)

Día 1: Tercer sermón de Moisés (29-30)

El tercer sermón de Moisés comienza con el capítulo 29. Continúa haciendo hincapié en la necesidad de ser fieles a la Alianza y recuerda una vez más al pueblo lo que Dios hizo en Egipto al faraón, a sus siervos y a su tierra. Aunque los israelitas fueron testigos y oyeron estas cosas, Dios no les dio un corazón capaz de comprender lo que vieron y escucharon hasta el día de hoy, cuando Moisés les está hablando. Cuando Moisés los condujo por el desierto, hubo señales milagrosas no visibles: su ropa no se les cayó en pedazos y sus sandalias no cayeron de sus pies. No tuvieron el lujo de comer pan ni beber vino o cerveza, pero comieron lo que el Señor proveyó de manera que pudieran reconocer que era el Señor, Dios de Israel, el que los llevaba por el desierto.

Israel derrotó a grandes reyes y ejércitos, y dio sus tierras a las tribus de Rubén, Gad y a media tribu de Manasés, todo por la mano del Señor. La media tribu de Manasés se refiere a uno de los hijos de José. La tribu de José se convirtió en dos tribus, nombradas con el nombre de sus hijos. Dado que la tribu de Leví no recibió una porción de tierra, sino que servía a todas las tribus, quedaban once tribus. Cuando los hijos de José se convirtieron en los jefes de grandes tribus, el número fue de nuevo llevado hasta doce. Como se mencionó anteriormente en este libro, Rubén, Gad y Manasés se establecieron donde los israelitas habían acampado en Moab, pero tuvieron que aceptar colaborar en la conquista de la tierra que el Señor iba a dar a las otras tribus.

Moisés llama a cada miembro de cada familia, desde los jefes de tribu hasta al esclavo más humilde, para que participen en la alianza con el Señor, de manera que quienes permanezcan fieles sean bendecidos y quienes no lo hagan sean maldecidos. A través de la Alianza, el Señor Dios es su Dios, como había sido prometido a Abrahán, Isaac y Jacob. Moisés, sin embargo, no está haciendo la Alianza y su maldición solo con la gente que está presente en ese momento, sino también "con quien no está aquí hoy con nosotros" (29:14), o en otras palabras, con las generaciones futuras.

Moisés repite, como lo ha hecho muchas veces en el libro de Deuteronomio, la solemne advertencia contra la idolatría. El Señor castigará a los que adoren a dioses paganos, como lo ha hecho en el pasado. Pueden pensar que están seguros, pero Dios los castigará. La expresión "que lo regado acabe con los sedientos" (29:18) es una declaración confusa y desconocida que podría significar que el pecador hace que incluso los inocentes se pierdan o podría significar que el pecador puede ser barrido en cualquier momento de su vida. El Señor identificará a la persona o tribu para el desastre de acuerdo con las maldiciones escritas en este libro.

Moisés lanza una seria advertencia a quienes se vuelvan idólatras, pintando una imagen de una destrucción semejante a la sufrida por Sodoma y Gomorra. El libro añade otras dos ciudades conocidas por el pueblo, es decir, Admá y Zebolim, que estaban cerca de Sodoma y Gomorra. Las otras naciones que sean testigos de esto van a preguntar por qué el Señor ha hecho algo tan terrible al pueblo. Estas personas abandonaron el pacto hecho con el Señor por sus antepasados y sirvieron a otros dioses, dioses que no conocían. Cuando el autor escribe que se postraron ante otros dioses que no les habían sido asignados, parece referirse a la creencia de muchos pueblos en la antigüedad de que cada nación tenía su propio dios. El Señor Dios es el Dios de los israelitas, y adorar a otro dios es adorar a un dios que no es el asignado a la nación hebrea. A causa de su infidelidad, el Señor trajo sobre ellos toda clase de maldiciones.

Lectio divina

Dedica de 8 a 10 minutos a la contemplación silenciosa del siguiente pasaje:

Moisés sigue preocupándose por que los israelitas algún día se vuelvan a la idolatría. Una gran parte de sus discursos trata de este temor. La idolatría está al acecho en cada país que entran y deben superar las seducciones del mundo en el que se encuentran. Jesús señala que aquellos que siguen los mandamientos del Señor a menudo tienen que soportar dificultades y luchar. Le dice a sus seguidores: "Si el mundo los odia, sepan que a mí me ha odiado antes que a ustedes" (Jn 15:18). Jesús no está diciendo que debemos tener cara amarga viviendo como cristianos, pero nos advierte que podemos ser rechazados a veces porque nos negamos a seguir muchos de los falsos dioses de nuestra cultura. Al igual que Moisés tuvo que advertir a la gente contra los falsos dioses que estaban a su alrededor, de la misma manera, Jesús nos advierte acerca de la seducción (dioses) del mundo en que vivimos. Dios nos dio una creación buena y maravillosa, pero muchos dioses falsos se esconden en algunos de sus rincones.

✠ *¿Qué puedo aprender de este pasaje?*

Día 2: Josué comisionado como nuevo líder de los hijos de Israel (Dt 31:1-29)

Moisés es ya anciano, con ciento veinte años de edad, y le dice al pueblo que ya no es capaz de "salir y volver", lo que significa que ya no es capaz de guiar a su pueblo como lo había hecho en el pasado. El Señor le había dicho ya a Moisés que no iba a cruzar el río Jordán hacia la Tierra Prometida. Así como el Señor prometió en el pasado guiar a su pueblo, así seguirá yendo delante de ellos. Cuando el Señor ponga en manos de los israelitas a sus enemigos, ellos deberán tratarlos como les ha sido mandado, lo que significa que deben conquistarlos e incluso matarlos. Deberán pelear contra otros, sabiendo que el Señor nunca les fallará.

Moisés elige a Josué como el nuevo líder instruyéndolo en presencia de todo el pueblo. Le dice que debe ser firme e inquebrantable, dado que guiará al pueblo a la tierra que el Señor juró dar a sus antepasados. No deberá tener miedo, ya que el Señor estará con él y nunca lo abandonará.

Cuando Moisés escribió la Ley, que se encuentra en el libro del Deuteronomio, se la dio a los levitas que llevan el Arca de la Alianza y a los ancianos de Israel. La Ley es sagrada y está colocada cerca del Arca, pero está pensada para que los ancianos la compartan con todo el pueblo. Moisés prescribe que los israelitas deban congregarse para la lectura de la Ley en voz alta en la Fiesta de los Tabernáculos, en el tiempo de la remisión de las deudas, que sucede al final de cada séptimo año. Moisés ya se ha referido a la Fiesta de los Tabernáculos antes en el libro de Deuteronomio. Es la fiesta de la cosecha que dura siete días y se celebra en el lugar elegido por el Señor, su Dios (16:13-17). La Ley se debe leer no solo a los hombres adultos de la comunidad, sino también a las mujeres y a los niños. Los niños deberán saber de la Ley y aprender a amar al Señor, el Dios de los israelitas, por todo el tiempo que vivan en la Tierra Prometida.

En el Deuteronomio, al igual que en los demás libros del Pentateuco, hay repeticiones y dobletes, lo que significa que algunos de los relatos aparecen dos veces con ligeras variaciones, principalmente debido a los muchos autores que participaron en la composición del libro. En un texto anterior, Moisés ya había escogido a Josué como su sucesor, pero ahora el relato nos dice que el Señor habla a Moisés y le dice que su muerte se acerca y que debe convocar a Josué y presentarlo al Señor en la Tienda del Encuentro. El Señor aparece de nuevo como una columna de nube y se pone frente a la entrada de la tienda.

En un pasaje que viene de un autor diferente, la decisión de Dios de no permitir a Moisés entrar en la Tierra Prometida se repite. El Señor le dice a Moisés que pronto estará en reposo con sus antepasados. El Señor tristemente añade que el pueblo se prostituirá siguiendo a los dioses extranjeros de las tierras en las que vivirán. Cuando el Señor ya no viaje con ellos, deberán reconocer que el Señor los ha abandonado y ha permitido que sean presa de sus enemigos a causa de sus malos caminos. El Señor ordena a Moisés escribir una canción que se debe enseñar a los israelitas quienes han de recitarla, de manera que pueda servir como un testimonio a favor de YHWH y en contra los israelitas. Moisés escribe la canción el mismo día. Por tercera vez, el autor dirige su atención a Josué. Moisés comisiona a Josué, hijo de Nun, y de nuevo le dice que debe ser fuerte y firme, ya que él es el que va a conducir al pueblo a la Tierra Prometida. El Señor promete estar con ellos.

Aparece de nuevo la historia de Moisés que escribe la Ley y cuando acaba, se la da a los levitas que llevan el Arca de la Alianza. Ellos deben poner el libro de la Ley junto al Arca de la Alianza, de manera que pueda ser un testigo en contra del pueblo, que el Señor sabe que son de corazón duro. Moisés declara que si se rebelan contra el Señor mientras vive con ellos, entonces ¿cuánto más se rebelarán después de su muerte? Moisés ordena al pueblo reunir a todos los líderes y funcionarios tribales delante de él para que pueda decirles estas palabras y llamar a Dios como testigo contra ellos. Moisés cree que la gente va a actuar de manera corrupta y va a apartarse de lo que él les mandó. Como resultado de ello, van a experimentar el mal. Aunque Moisés parece estar prediciendo lo que sucederá en el futuro, el libro, como se mencionó anteriormente, en realidad fue escrito mucho después de la época de Moisés, cuando las tragedias sufridas a causa de la infidelidad del pueblo ya habían sucedido.

Lectio divina

Dedica de 8 a 10 minutos a la contemplación silenciosa del siguiente pasaje:

Los israelitas reconocen que el Señor está con ellos cuando el liderazgo pasa de Moisés a Josué, a quien Dios escoge para guiar al pueblo. Moisés escribe la Ley y la pone cerca del Arca. Josué, como nuevo líder, no tiene el poder de cambiar la Ley como otros líderes de naciones hicieron en su día. La gente necesita a alguien para guiarlos y el Señor elige a Josué para esta misión. En el Evangelio de Juan, Jesús señala que Dios sigue eligiendo discípulos para continuar llevando su mensaje. Declara: "No me han elegido ustedes a mí, sino que yo los he elegido a ustedes, y los he destinado para que vayan y den fruto, y que su fruto permanezca" (15:16). En todos los ámbitos de la vida, Dios escoge y los seres humanos deciden si aceptan o no esa invitación. Dios escogió a Josué, quien aceptó en silencio esta llamada, y Jesús escogió a sus discípulos que difundirían su mensaje. Somos elegidos para alguna misión en la vida y nosotros aceptamos o rechazamos esa llamada con nuestra manera de vivir.

✠ *¿Qué puedo aprender de este pasaje?*

Día 3: Moisés, el hombre de Dios (Dt 33)

El pasaje comienza con una introducción de Moisés como "hombre de Dios", que es lo mismo que llamarlo "profeta". Moisés bendice al pueblo y habla de las tribus como de un individuo, cuando en realidad se está dirigiendo a toda la tribu derivada de la persona que ha dado nombre a la misma. "El Señor vino del Sinaí" es una frase que significa que el Señor viajó con los israelitas y vivió entre el pueblo en Seir. La expresión "miríadas de santos" que se utiliza en este texto, es una referencia a los seres celestiales que viajan con el Señor como su séquito.

En el versículo 4, el autor habla de Moisés como si Moisés no fuera el que está dando las bendiciones, sino aquel de quien se está hablando. Muy probablemente se trata de una adición a la bendición hecha posteriormente. Toda la parte de la bendición fue añadida en un segundo momento a la historia, por lo que ahora parece una interrupción del relato de la preparación de Moisés para su muerte y la descripción de la misma. El autor habla de Moisés como si estuviera encomendando al pueblo la Ley, pero Moisés se refiere a un rey que surgirá en Jerusalén, lo que podría ser una referencia al Señor como el Rey de los judíos o a la monarquía en Jerusalén, donde el rey unió a las tribus de Israel.

Cada una de las tribus de Jacob recibe una bendición especial. Rubén, el mayor, va a vivir, pero siempre será una tribu pequeña. Para Judá pide que YHWH escuche su voz y guíe a su pueblo. Levi sirve en el altar y es bendecido por su fidelidad a la Alianza. Los términos *Tumim Urim* se refieren a objetos que usaban los sacerdotes para adivinar la voluntad de Dios. Benjamín muestra amor por el Señor y el Señor le corresponde de la misma manera. José recibe de su padre la bendición más grande, a pesar de que José no es el hijo primogénito. Efraín y Manasés, los hijos de José, se convertirán en los líderes de una tribu cada uno, dando así a José una doble porción (de la herencia) y un lugar más importante entre sus hermanos. Zabulón e Isacar se enriquecen debido a los recursos que les llegan del mar Mediterráneo. Gad es fuerte y decidido, y es fiel a la justicia y ordenanzas del Señor. Dan se trasladó desde Basán y se le dio su porción de tierra. Neftalí se llena de las bendiciones del Señor y Aser se ve favorecido por sus hermanos y prospera.

Al final, la canción canta la grandeza de Dios. Yesurún es un nombre poético que se refiere a los hijos de Israel. El Señor cabalga majestuosamente sobre las nubes. A causa de esta grandeza, Israel vive en condiciones de seguridad, en una tierra de trigo y de vino cerca de los cielos, una referencia a la Tierra Prometida. Israel es bendecido. Ninguna otra nación es como Israel, un pueblo salvado y protegido por el Señor, que lo llevó a triunfar sobre sus enemigos, los cuales temblaban ante ellos.

Lectio divina

Dedica de 8 a 10 minutos a la contemplación silenciosa del siguiente pasaje:

Moisés tuvo que convencer al pueblo de que el Señor estaba con ellos, incluso cuando todo parecía perdido. Aunque el pueblo creyó las palabras de Moisés, siguieron quejándose cuando tenían hambre, sed, o estaban exhaustos en el desierto. Su fe en Dios es similar a la de muchas personas hoy en día. Creemos que el Señor está con nosotros, que nos protege. Sin embargo, cuando nos enfrentamos a tragedias, dolor, decepciones, frustraciones, problemas financieros o de salud, nuestra fe en Dios se puede debilitar. Nuestra fe nos dice que Dios está siempre presente, guiando y protegiéndonos. La respuesta a nuestras oraciones puede no ser la respuesta que Dios quiere dar. Creer esto exige un total abandono a la sabiduría y al amor de Dios, y confianza plena en su presencia en nuestras vidas.

En el Evangelio de Mateo leemos que el nacimiento de Jesús es el cumplimiento de la profecía que lo llama "Emmanuel", que significa "Dios con nosotros" (1:23). Al final del Evangelio de Mateo, leemos las últimas palabras de Jesús: "Y he aquí que yo estoy con ustedes todos los días hasta el fin del mundo" (28:20). Jesús, que es Dios, promete que Dios estará siempre con nosotros. Jesús es Emmanuel, "Dios con nosotros".

Moisés recuerda al pueblo que se deberían alegrar, porque el Señor es su ayuda y su escudo, un Señor que hace que otras naciones se rindan ante ellos. A medida que se asientan en la Tierra Prometida, deben confiar en que el Señor permanece con ellos de la misma forma en que estuvo con ellos a través del desierto.

✠ *¿Qué puedo aprender de este pasaje?*

Día 4: La muerte de Moisés (Dt 34)

En este capítulo, ya no es Moisés el que habla, sino un escritor posterior. Como la muerte de Moisés se acerca, se sube a una montaña donde puede ver sobre Jericó. Los israelitas están a punto de entrar a la Tierra Prometida, pero ya ha sido determinado por Dios que Moisés no entrará en la tierra que fue prometida a Abrahán, Isaac y Jacob. Como un favor a Moisés, el Señor le deja ver la inmensidad de la tierra, pero le repite que no entrará en ella. Moisés muere y es enterrado en las afueras de la Tierra Prometida, en la tierra de Moab. Nadie sabe el lugar exacto. Aunque Moisés tenía ciento veinte años de edad en el momento de su muerte, aún tenía los ojos y la energía de un hombre más joven. El pueblo participó en los tradicionales treinta días de luto.

Josué, hijo de Nun, estaba lleno del espíritu de sabiduría, era el líder comisionado por Moisés, el cual impuso sus manos sobre su cabeza. Aunque los israelitas aceptaron a Josué como su líder tal como mandó Moisés, este último es venerado como el gran profeta de la nación israelita. Después de Moisés, no ha surgido ningún profeta que hable con el Señor cara a cara y que realice tantos hechos milagrosos y ante los ojos de todo Israel. El libro termina silenciosamente con la muerte de Moisés y la expectativa futura de una invasión de la tierra prometida a Abrahán, Isaac y Jacob.

Lectio divina

Dedica de 8 a 10 minutos a la contemplación silenciosa del siguiente pasaje:

"No ha vuelto a surgir en Israel un profeta como Moisés, a quien Yahvé trataba cara a cara" (Dt 34:10). Dios sigue escogiendo líderes que a menudo tienen la tarea imposible de calmar a una nación en una época de agitación o miedo. Durante el viaje de Israel por el desierto, líderes como Moisés, Aarón, Caleb y Josué desafiaron a la gente a confiar en la presencia del Señor en sus vidas. Entre todos estos líderes, Moisés destaca como el más fuerte y más dominante en el grupo. Él es el elegido por Dios para guiar al pueblo desde Egipto hasta la Tierra Prometida en un viaje agotador de cuarenta años por el desierto; un gran profeta, verdaderamente.

En su Evangelio, Mateo describe un episodio en el que los discípulos de Jesús se encuentran con una tormenta en el mar de Galilea. Despiertan al Señor, que está dormido en la barca, y Jesús calma la tormenta. Entonces Jesús les dice: "¿Por qué tienen miedo, hombres de poca fe?" (8:26). Confiar en el Señor en medio de las tormentas de la vida demuestra una fe más grande que confiar en él cuando todo va bien. Moisés se encontró con muchas explosiones de ira y pecados del pueblo en el desierto, pero su fe en el Señor nunca fue derrotada por esas tormentas. Su fe en medio de todas las dificultades que encontró hace de él el gran profeta, reconocido y amado por todo el pueblo de Israel.

✠ *¿Qué puedo aprender de este pasaje?*

Preguntas de reflexión

1. ¿Por qué Dios hizo un pacto con todo Israel, comprometiendo en la Alianza no solo a los israelitas del presente, sino también a los del futuro?
2. ¿Cómo puede el pacto ser una bendición o una maldición para el pueblo?
3. ¿Qué quiso decir Moisés con la expresión de que la Ley es algo cercano a ellos, en sus bocas y en sus corazones?
4. ¿Por qué escogió el Señor a Josué para conducir al pueblo después de la muerte de Moisés?
5. ¿Por qué los israelitas consideran que Moisés es un profeta?

Acerca de los autores

El **P. William A. Anderson, DMin, PhD,** sacerdote de la diócesis de Wheeling-Charleston, Virginia del Oeste, director de retiros y misiones parroquiales,profesor, catequista y director espiritual. También fue párroco. Ha escrito numerosas obras sobre pastoral, temas espirituales y religiosos.

El P. Anderson obtuvo el doctorado en Ministerio por la Universidad y Seminario de Santa María de Baltimore y el doctorado en Teología Sagrada por la Universidad Duquesne de Pittsburgh.

El **P. Rafael Ramírez,** es originario de Arandas, Jalisco, México. Fue ordenado el 25 de Noviembre de 1994 en la ciudad de México. Recibió su formación en México, España e Italia. Estudio filosofía en la Pontificia Universidad Gregoriana, teología en el Pontificio Ateneo Regina Apostolorum y Sagradas Escrituras en el Pontificio Instituto Bíblico, donde obtuvo su doctorado en 2008. Realizó también estudios de especialización en la Universidad Hebrea de Jerusalén. Ha enseñado y ejercido su ministerio sacerdotal en México, España, Italia, Suiza y USA.

CPSIA information can be obtained at www.ICGtesting.com
Printed in the USA
BVOW11s1426020615

402877BV00020B/196/P